COLLECTION
FOLIO CLASSIQUE

Diderot

Le Neveu
de Rameau

*Édition présentée, établie et annotée
par Michel Delon*

Gallimard

PRÉFACE

À la mémoire de Jochen Schlobach

« Qu'il fasse beau, qu'il fasse laid ; c'est mon habitude d'aller sur les 5 heures du soir me promener au Palais-Royal. » *Diderot nous entraîne dans ce Paris où il a passé l'essentiel de sa vie. Propriété du duc d'Orléans, le Palais-Royal est alors une capitale dans la capitale. Les boutiques y proposent les derniers raffinements du luxe. Les mondains s'y font admirer. Les courtisanes et les aventuriers se mêlent à la foule. Le Philosophe qui a travaillé tout au long de la matinée et au début de l'après-midi dans son Quartier Latin n'a qu'à traverser la Seine et le Louvre pour arriver dans ce quartier neuf. Il sait que la marche est bonne pour la santé, son ami le docteur Tronchin le répète à tous ses patients. Au terme de la promenade, la diversité des badauds qui se pressent au Palais-Royal constitue un spectacle riche d'enseignement pour le moraliste. Les privilégiés, si sourcilleux sur leur titre, s'y encanaillent avec les parvenus, le monde de la naissance y fraie avec la richesse, vite ou mal acquise. Les réalités y sont en parfaite contradiction avec les principes affichés. Maître des lieux, le duc*

d'Orléans se montre complaisant avec tous les commerces dont il tire bénéfice.

La première phrase du dialogue met en place deux espaces, celui de la régularité et celui de la mode. L'habitude et la continuité s'opposent au changement. Le temps qu'il fait est à l'image des goûts du public qui s'entiche d'une chanson ou d'un vêtement pour s'en lasser, quelques semaines plus tard. La littérature et l'art n'échappent pas à cette inconstance. Crébillon et Marivaux qui ont connu le succès au début du règne de Louis XV sont passés de mode après 1760. Les opéras bouffes qui arrivent d'Italie concurrencent les opéras de Rameau. La création artistique est soumise aux mêmes variations que les couleurs et les formes des robes. La jolie femme ou la femme du jour, selon le titre d'un roman de 1769 [1], est l'incarnation de ce monde chatoyant, éphémère et futile. Elle est habillée à la dernière mode, connaît les bons mots et les « contes » qui courent dans la société. Elle n'a cure de philosophie ou de morale. Il lui suffit de plaire. La vie sociale se transforme en un vaste commerce, si ce n'est une prostitution universelle.

Indifférent aux engouements de l'opinion, le Philosophe cherche à définir des valeurs qui durent plus qu'une saison. Il sait que chacun est déterminé par le milieu où il vit, que chacun est mû par ses intérêts, mais il persiste à croire à un jugement moral ou esthétique qui dépasse ces influences et ces besoins immédiats. Il est en quête de principes qui puissent fonder une rectitude. Il veut regarder au-delà du présent et prétend s'adresser à ce futur indéterminé qu'il

---

1. Nicolas Thomas Barthe, *La Jolie Femme ou la Femme du jour*, Amsterdam, 1769.

nomme la postérité. *La liberté qu'il revendique le met sinon en dehors, du moins en retrait du commerce et des trafics. Il récuse les préjugés du moment et doit, pour s'en déprendre, conserver une disponibilité et une attitude de spectateur qui l'assimile parfois aux consommateurs d'idées et de corps faciles.* « Mes idées, ce sont mes catins. » *Le même mot* libertinage *désigne la liberté de penser par soi-même et la facilité des amours superficielles. La polysémie du terme prend l'aspect d'une rencontre entre deux personnages que tout oppose et qui ne sont pas destinés à se fréquenter : le Philosophe qui inscrit sa tâche dans la longue durée historique et le parasite qui vit* « au jour la journée ». *Le premier essaie de trouver des catégories pour penser le particulier et le général, le second colle à une réalité immédiate qu'il ne peut que* contrefaire, *tel est son talent de pantomime. Ils peuvent être dits l'un et l'autre* « sans caractère », *l'un parce qu'il n'est pas entraîné par ses besoins, l'autre parce qu'il est prêt à toutes les compromissions et s'adapte à tous les rôles qu'on lui impose. Le Philosophe apparaît métaphoriquement comme le grand comédien que définit le* Paradoxe sur le comédien *et qui pense les personnages, Lui, le parasite, est un bouffon habile à jouer tous les rôles d'une pièce et tous les instruments d'un orchestre. L'un cherche la totalité par l'abstraction, l'autre par l'accumulation. Le Philosophe s'autorise à jouer avec les idées comme un homme de science tente des expériences qui comportent une part de risque, car il n'en connaît pas le résultat. Il engage avec le parasite une conversation qui a sans doute l'aisance sinueuse d'un entretien amical, mais ne manifeste jamais la confiance d'une intimité ni la progression d'une discussion philosophique.*

Diderot a consacré ses premiers essais philoso-phiques à des figures de femmes et d'hommes privés d'un sens. Pour mieux comprendre l'être sensible, il l'observe lorsqu'il lui manque un organe sensoriel. La Lettre sur les aveugles *suit l'évolution intellectuelle et morale de celui qui est privé de vue, la* Lettre sur les sourds et muets *remplace un handicap par un autre. Il reste à Diderot à expérimenter un nouveau manque, celui du sens moral. Qu'est-ce qu'un homme qui prétend ne pas avoir de conscience et proclame même le danger de cette voix intérieure ? Peut-il tou-jours échapper au jugement de son miroir ? Le goût musical n'est-il qu'une bonne oreille ou relève-t-il, comme la conscience, d'une instance différente ? Une autre constante de la démarche philosophique de Dide-rot est de refuser les unités conventionnelles, de les briser pour révéler les contradictions. L'individu apparaît divisé :* Les Bijoux indiscrets *font parler aux corps un langage opposé à celui de la raison sociale. Les* Éléments *de physiologie ébauchent un sys-tème selon lequel l'homme relèverait de deux centres moteurs, le cerveau et le diaphragme. De même, au café de la Régence, Diderot s'amuse à observer un per-sonnage décalé dont la sensibilité esthétique est en contraste permanent avec l'insensibilité morale qu'il revendique.*

Le dialogue trouve ainsi sa place dans la dyna-mique du travail de Diderot. Mais il faut sans doute pour le comprendre se libérer des idées reçues sur cette œuvre que Diderot nomme la Satire seconde *et dont la première publication a lieu en allemand, dans la traduction de Goethe, en 1805 sous le titre du* Neveu de Rameau. *L'enthousiasme de Goethe pour le texte, la qualité de son adaptation et de l'annotation* qu'il y a jointe vont de pair avec un changement de perspective qu'il impose à l'œuvre. *La satire critique une figure à laquelle* Le Neveu de Rameau *confère par son titre une dignité imprévue. La diffusion paradoxale d'un manuscrit copié à Saint-Pétersbourg, traduit en allemand, retraduit en français, avant que soient révélés le texte original en 1823 et le manuscrit autographe en 1891, a peut-être eu pour conséquence une lecture déviée de ce qui s'est imposé comme le chef-d'œuvre de Diderot. La figure emblématique d'un monde corrompu envers lequel le Philosophe ne peut manifester la moindre complaisance est devenue dans notre modernité un marginal critique, un paria provocateur, un esprit de négation, parfois même un fou visionnaire. La* Satire seconde *est sans doute devenue* Le Neveu de Rameau *à la façon dont l'*Histoire du chevalier Des Grieux et de Manon Lescaut *est devenue* Manon Lescaut, *au risque d'occulter l'analyse critique pour promouvoir un personnage mythique. On fait de Manon un mythe de la femme et on oublie ce que le point de vue de son amant, narrateur de l'histoire, a de partiel et de partial. On glorifie de même la lucidité corrosive du Neveu et on relativise la satire que Diderot mène de la foire aux vanités et du marché des consciences, incarnés par le Neveu. Ce débat sur l'interprétation du texte est rendu complexe par le peu d'informations dont nous disposons sur sa genèse.*

UNE GESTATION COMPLEXE

Le succès de l'œuvre, le brouhaha des interprètes qui veulent en dire le sens et des acteurs qui veulent

*en porter la voix, contrastent avec le silence qui entoure
sa naissance. Diderot ne nous avait pas habitués à
tant de discrétion, à tant de mystère, dit même Jean
Fabre. Pas de référence dans ses lettres à l'œuvre en
gestation, pas d'allusion dans la* Correspondance littéraire, *pourtant prompte à rapporter à ses lecteurs
les faits et gestes du philosophe. On trouve une seule
autre référence à Jean-François Rameau sous la
plume de Diderot, elle se trouve dans le* Salon de
1767 : «Quisque suos patimur manes, dit Rameau le
fou[1].» La formule est trop rapide pour fonder la
moindre hypothèse. «Autant avouer notre incertitude
et notre parfaite ignorance», reconnaissait Jean Fabre
en 1950. Un demi-siècle plus tard, nous en sommes à
peu près au même point, réduits au texte lui-même
pour risquer des conjectures sur sa création et sa signification, sans nous laisser entraîner par son excep-
tionnelle réussite après la mort de l'auteur.*

Sur un des manuscrits du Neveu de Rameau, *dans
le fonds Vandeul, une date est ajoutée par une main
étrangère : juillet 1761, corrigée en juillet 1762. La
date correspond bien à l'impression de lecture et à la
convergence des événements auxquels il est fait allusion dans le texte. Et l'hésitation marque qu'aucune
précision n'est possible. Le Neveu pleure sa femme[2]
qui est morte en janvier 1761, mais se réjouit encore
d'un fils[3] qui lui reste, celui-ci mourra en juin 1761.
Mlle Hus fréquente Bertin qui se séparera d'elle en
septembre 1761[4]. «Quel âge à peu près peut avoir
mademoiselle sa fille?» demande le Neveu à Moi qui*

1. Voir p. 153 (et n. 2).
2. P. 151 sqq.
3. P. 133 sqq.
4. P. 63 (et n. 2), 75 (et n. 2), 91 (et n. 3).

répond : «*Supposez-lui huit ans*» *(p. 72). Née le 2 septembre 1753, Angélique a huit ans à la fin de l'été 1761. C'est dans les mois qui suivent que Diderot lui donne un maître de clavecin. Les périodiques mentionnés et les pièces de théâtre citées datent des mêmes années. Si la datation ne peut être aussi nette que la topologie autour du Palais-Royal, la vraisemblance première situe la rencontre du Philosophe et du bohème au lendemain de la querelle des Philosophes et du* Père de famille. *La comédie de Palissot[1] est créée le 2 mai 1760 et ridiculise Diderot et ses compagnons de l'Encyclopédie.* L'Écossaise, *la comédie de Voltaire, est reçue comme une réponse, mais Diderot préfère défendre sa conception du théâtre et de la morale, en faisant jouer* Le Père de famille *en février 1761. S'il s'est abstenu de polémique publique, il trouve une forme de revanche en faisant vilipender par l'un des leurs les cercles mondains et littéraires qui ont mené l'attaque. Il en fait dénoncer les bassesses et les turpitudes par le Neveu.*

Cette première cohérence temporelle est vite contredite. Le grand Rameau qu'on voit passer dans la rue est mort, quelques pages plus loin[2], laissant un portefeuille où son neveu aurait envie de fureter. Il est à nouveau bien vivant, prenant plaisir à contredire Carmontelle, on le voit «*se promener droit et les bras en l'air, au Palais-Royal, depuis que Mr Carmontelle l'a dessiné courbé, et les mains sous les basques de son habit[3]*». *Ce simple détail suffit à rendre vaine toute recherche d'un référent chronologique strict. L'évoca-*

---

1. P. 58 (n. 3) et 100 (n. 5).
2. P. 50 et 58 (et n. 1).
3. P. 63.

*tion, peu amène, des libraires Briasson et David
laisse supposer une rédaction de ces passages ultérieure à la découverte, par le maître d'œuvre de l'Encyclopédie, des caviardages opérés à son insu*[1]. *Voltaire
apparaît sans doute comme l'auteur de* Mahomet
*(1741), mais aussi de l'éloge de Maupeou qui date de
1771, et comme celui qui a obtenu la réhabilitation
de Calas qui intervient en 1765*[2]. *Le règne de la Guimard et le dialogue de Diderot avec le maître de
musique de sa fille sont également ultérieurs au premier noyau temporel repéré*[3]. *On pourrait avec Jean
Fabre et Henri Coulet allonger cette liste des discor-
dances chronologiques, mais il n'est pas nécessaire
d'accumuler les preuves que Diderot ne cherche nullement à rendre une scène selon les principes qui
seront, un siècle plus tard, ceux du réalisme.*

*Jean Fabre et Jacques Chouillet ont tiré de ce dis-
parate l'impression que le romancier a esquissé sa
rencontre avec le parasite vers 1761 ou 1762, pour
reprendre son texte plus tard, l'allonger, l'enrichir, le
parfaire.* La Religieuse *donne l'exemple d'une telle
gestation étalée sur des années. Henri Coulet remarque
pourtant qu'aucun indice temporel n'est postérieur à
1774. Il suggère de resserrer le temps de création et,
sans exclure un projet qui daterait des années 1760,
propose une première mise en forme en 1773 ou 1774.
Diderot aurait alors composé assez rapidement ce
dialogue, situé approximativement une douzaine d'années plus tôt. Vers 1780, lorsqu'il organise la copie de
tous ses manuscrits pour Catherine II, il aurait lui-*

---

1. P. 54 et n. 1 et 111 et n. 3.
2. P. 57 et 85.
3. P. 80 et 134, et n. 1.

*même recopié sa première version, c'est-à-dire, selon
ses habitudes, rédigé une deuxième version de l'œuvre.
Aucun élément décisif ne permet de trancher dans ce
débat qui renvoie à une conception de l'unité de
l'œuvre et à une idée de la relation entre la vie et la
fiction. L'étalement dans le temps de la rédaction
peut laisser penser à une accumulation successive
d'anecdotes, à un premier jet progressivement truffé
de compléments. Une rédaction mieux ramassée dans
le temps permet d'insister sur la cohérence de la création, sur l'unité de l'œuvre finale. La question concerne
aussi la distance par rapport aux épreuves de 1760,
au ressentiment du philosophe à l'égard de ceux qui
l'ont traîné dans la boue. Une rédaction à chaud
laisse penser à une revanche : Le Neveu de Rameau
serait la comédie cruelle des* Antiphilosophes, *parasites et imposteurs pires que les pantins mis en scène
par Palissot, mais une comédie jouée par Diderot sur
son théâtre intérieur et livrée à la postérité. Une rédaction décalée dans le temps transforme le ressentiment
en méditation, la dénonciation particulière en réflexion
générale. La colère peut se muer en jubilation créatrice.*

ORDRE ET DÉSORDRE

Le terme composition *désigne à la fois la gestation
et l'organisation textuelle. L'enjeu de la chronologie
du* Neveu de Rameau *est son unité d'œuvre d'art. On
a pu lui appliquer le mot de Chastellux, cité par
Sainte-Beuve : «Ce sont des idées qui se sont enivrées
et qui se sont mises à courir les unes après les autres.»
Contre l'idée d'un brillant fourre-tout, d'une libre discussion à bonds et à gambades, les commentateurs*

ont tenu à montrer dans les circonvolutions du dialogue, dans les retours et les reprises, un plan ou une structure d'ensemble. *Jean Fabre* propose d'y voir la structure d'une symphonie, organisée autour des quatre grandes pantomimes. La première est un « récital de soliste donné sur un violon, puis par un clavecin imaginaire», la deuxième une fugue esquissée à partir du Vivat Mascarillus, *la troisième un opéra tout entier, joué et chanté par un seul homme. «La série est enfin couronnée par la pantomime des gueux ou le grand branle de la terre» qui fait passer de la salle de spectacle à la terre entière. Une progression entraîne le texte, de l'anecdotique au général, de la musique à la philosophie sociale. Roger Laufer construit le mouvement ascendant du texte autour de deux crises de la conversation, deux moments où le Philosophe veut rompre le débat : une première fois, il est prêt à laisser éclater son indignation, mais il finit par rire (p. 66-67), l'apologie du renégat provoque une réaction violente de Moi qui ne peut reprendre la discussion qu'en changeant de sujet (p. 119)[1]. Ces deux moments ponctuent la progressive reconnaissance de la force dialectique du Neveu.*

Henri Coulet a tenu, à son tour, à récuser l'impression d'un texte désordonné. Il y aperçoit, bien au contraire, «une armature aussi forte que simple» L'introduction pose le cadre et les personnages. Si c'est le Neveu qui aborde son interlocuteur, c'est le Philosophe qui a l'initiative des questions, lançant la discussion : «Qu'avez-vous fait ?» (p. 49) engage le

---

1. R. Laufer, «La Structure et la signification du *Neveu de Rameau*», *Revue des sciences humaines*, octobre-décembre 1960.

Neveu à raconter son passé. *Après le silence qui suit l'explosion du cynisme, Moi accepte de reprendre l'échange.* «*Que faites-vous à présent ?*» *(p. 120) oriente la discussion vers la situation présente. Deux questions manifestent la maîtrise du débat par le Philosophe qui suit son argumentation :* «*Comment se fait-il qu'avec un tact aussi fin, une si grande sensibilité pour les beautés de l'art musical, vous soyez aussi aveugle sur les belles choses en morale, aussi insensible aux charmes de la vertu ?*» *(p. 132).* «*Dites-moi comment il est arrivé qu'avec la facilité de sentir, de retenir et de rendre les plus beaux endroits des grands maîtres [...] vous n'ayez rien fait qui vaille*» *(p. 139). Aucune conclusion ne vient faire pendant à l'introduction, chacun est renvoyé à sa lecture de l'œuvre.*

Ces plans proposés ont le mérite de se référer à des éléments objectifs : pantomimes, silences du Philosophe, parallélisme des questions. Mais si les premiers sont fondés sur l'action et l'initiative du Neveu, celui d'Henri Coulet l'est sur la volonté et la logique du Philosophe. Aux yeux des uns, la construction du dialogue assure une progressive reconnaissance de la force corrosive de Jean-François Rameau qui, de pauvre diable à la recherche d'une tournée de bistrot, se hausse à la grandeur inquiétante d'un penseur de la perte des valeurs. Aux yeux des autres, le plan de l'œuvre marque la maîtrise de Moi qui s'interroge sur les bases mêmes de l'échange et pose à son interlocuteur les questions fondamentales. La réflexion sur la composition, tout à la fois musicale et conceptuelle, du Neveu de Rameau *renvoie à l'équilibre instable qui s'y établit entre les deux personnages.*

JEAN-FRANÇOIS RAMEAU

Certains des premiers lecteurs du Neveu de Rameau *ont pu en prendre le héros éponyme pour une création de Diderot. C'est le cas des Allemands, plus éloignés du contexte parisien. Goethe qui a vu dans la figure grimaçante de Lui un double truculent de Diderot, Hegel qui y cherche un des moments de l'histoire de l'esprit n'ont pas besoin de se rapporter à un quel-conque modèle réel. Une tradition française s'est au contraire attachée, au cours du XIXᵉ siècle, à faire revivre Jean-François Rameau, fils de Claude et neveu de Jean-Philippe. Elle a restitué le violoniste et claveciniste sans originalité, le professeur de musique sans conviction et le compositeur sans succès, avec le danger de projeter la fiction sur l'histoire et de confondre le personnage avec la personne. Elle l'a suivi dans sa Bourgogne natale, puis dans la capitale, grouillant de provin-ciaux déçus de n'y avoir pas trouvé la reconnaissance. Dès 1835, dans* La France littéraire, *Quérard précise son identité et sa naissance. Dans le* Dictionnaire cri-tique de biographie et d'histoire *(1867), Augustin Jal fournit les actes de baptême, le 31 janvier 1716 à Dijon, et du mariage, le 3 février 1757 dans l'église Saint-Séverin à Paris. Gustave Isambert dans son édi-tion de 1883 et Ernest Thoinan dans l'édition décisive de Georges Monval en 1891 proposent, chacun, un portrait précis du Neveu, ils insistent sur son œuvre musicale et littéraire. Les comptes rendus de* L'Année littéraire *et de la* Correspondance littéraire, *les témoi-gnages de Cazotte, de Piron et de Mercier* [1] *deviennent*

---

1. Voir p. 57, n. 3 ; 88, n. 2 ; 63, n. 4.

un contexte indispensable pour comprendre un indi-
vidu invité par Diderot à devenir un acteur de sa fic-
tion. Cette lignée érudite se prolonge sur plus d'un
siècle jusqu'au recueil d'André Magnan, Rameau le
neveu, *qui réunit en soixante-dix documents toute*
l'information disponible sur l'être réel, maltraité phy-
siquement et moralement par son père, par son oncle,
déshérité, successivement soldat, séminariste et musi-
cien, auteur d'airs et de couplets, mais aussi de pièces
de clavecin et de symphonie. De 1760 à 1764, il est ins-
pecteur et contrôleur de la communauté des maîtres à
danser et joueurs d'instruments de la ville et faubourgs
de Paris. Il dépend de mécènes et de protecteurs, parmi
lesquels Bertin de Blagny. Avec ce dernier et Palissot,
il donne en décembre 1753 un vaudeville antiphiloso-
phique, chanté à la Comédie-Française en intermède
aux Fées de Dancourt *: Les Philosophes du siècle. Six*
couplets opposent les vrais sages, tolérants et bons
Français, aux sages d'aujourd'hui, compilateurs pré-
tentieux et hargneux.

> Honorer les savants
> Dans sa propre patrie ;
> Voir l'essor des talents
> Sans fiel et sans envie :
> Les vrais sages pensaient ainsi.
> Diffamer l'harmonie
> De nos musiciens ;
> Aux seuls Italiens
> Accorder du génie :
> Voilà les sages d'aujourd'hui[1].

1. Cité dans le recueil d'André Magnan, *Rameau le neveu*, CNRS Éditions, 1993, p. 63-64.

La publication de La Raméide *en 1766 constitue sans doute un appel à l'aide de Jean-François. Le seul à répondre est Cazotte qui publie une* Nouvelle Raméide *(1766) ambiguë où le Neveu devient un Fou sous le signe de Momus. Lui qui avait déjà passé trois semaines à For-l'Évêque en 1748 pour désordre à l'Opéra, lui contre lequel son oncle avait sollicité un ordre pour l'expédier aux Antilles, fait l'objet d'une lettre de cachet, sollicitée par sa famille, en septembre 1769. Il est arrêté pour mauvaise conduite, sans qu'on sache donner un contenu précis à cette formule. Il est incarcéré à l'hospice des Bons-Fils d'Armentières. Comme souvent, à l'époque, l'établissement rassemble des aliénés, des débauchés et tous ceux qui gênent leur famille, pour une raison ou une autre. Rameau le neveu y meurt sans avoir recouvré sa liberté, il est inhumé le 7 février 1777.*

Le personnage dans sa biographie présente pour Diderot plus d'un intérêt tactique. Stipendié par le clan antiphilosophique, il pénètre leur milieu et en offre une image peu flatteuse. Lié familialement au grand Rameau, amicalement à Cazotte et idéologiquement aux défenseurs de la musique française, il fait resurgir tous les débats de la querelle musicale dont les antagonismes annonçaient parfois celles qui opposent philosophes et antiphilosophes[1]. *Il se démène comme un bouffon, au double sens d'acteur italien et de fou du roi, et fournit des arguments contre l'opéra français. C'est une voix qui peut se passer d'orchestre, qui devient à elle seule tout un orchestre. C'est un spectacle vivant qui frappe l'auditoire, force l'attention, entraîne*

---

1 Sur la querelle des Bouffons, voir p. 123, n. 1 et 5.

l'adhésion. Rameau apparaît enfin comme un misan-
thrope, un asocial, qui permet à Diderot de régler
quelques comptes avec l'ami Rousseau, l'ancien com-
plice, compagnon des luttes en faveur de la musique
italienne, qui s'est éloigné et a fini par rompre les ponts
avec lui. Diderot défend les mérites de la vie sociale,
alors que Jean-François Rameau, comme Jean-Jacques
Rousseau, en montre l'envers obscur. Le Neveu se vante
d'être un monstre dépourvu de conscience, alors que la
Profession de foi du vicaire savoyard *chante la*
conscience, «instinct divin» qui interpelle celui qui
sait l'écouter au fond de lui-même.

MODÈLES HISTORIQUES, MODÈLES LITTÉRAIRES

En lisant les documents rassemblés par André
Magnan, on a le même sentiment qu'en suivant l'en-
quête de Laurence Bongie sur Mlle de La Chaux[1]*. En*
tirant des archives des documents de plus en plus
nombreux sur la vie passée, on constitue un roman à
côté du roman et, pour cerner le jaillissement d'une
œuvre littéraire, on en montre l'irréductible spécificité.
On ne peut pas plus réduire Moi *à un autoportrait du*
philosophe que Lui *à un portrait du Jean-François*
Rameau historique. Le même écart les sépare sans
doute que celui qui différencie Marguerite Delamarre
de Suzanne Simonin, la vraie religieuse de la reli-

---

1. Voir Laurence L. Bongie, *Diderot's Femme savante,* Studies on Voltaire and the Eighteenth Century, 166, 1977 et
«Retour à Mlle de La Chaux, ou faut-il encore marcher sur des
œufs?», *Recherches sur Diderot et sur l'Encyclopédie,* 6, 1989.
Ces travaux sont commentés dans *Les Deux Amis de Bour-*
bonne et autres contes, Folio, 2002.

gieuse de fiction. La figure du musicien nécessiteux que Diderot a connu, comme il le raconte, ou bien croisé dans d'autres circonstances, s'est mêlée à tant de types littéraires et d'autres visages qu'il est impossible de faire la part de chacun. On a pu le rapprocher des parasites de l'Antiquité et des personnages burlesques de Rabelais et de Scarron, aussi bien que de l'indigent philosophe de Marivaux (1728) et de son imitation, le comédien ambulant d'Oliver Goldsmith (1761). Chez Marivaux, la critique de l'ordre social va de pair avec une esthétique du désordre naturel. Le personnage de Marivaux, «aujourd'hui petit, demain grand», celui de Goldsmith, «aujourd'hui laquais, demain grand seigneur[1]*», annoncent le portrait initial du Neveu, tout comme «l'homme qui parle seul», misanthrope et tout de guingois, rencontré par le héros de* La Mouche *(1736) de Mouhy: «Pendant qu'il rognonnait, je l'examinais depuis les pieds jusqu'à la tête; il paraissait avoir environ cinquante ans, avait l'air fort noble; il était ridé d'un côté, et ce qui me surprit, c'est que de l'autre, on ne lui aurait donné que la moitié de son âge*[2]*.» La dissymétrie y est trait de caractère et principe esthétique. Le Neveu est une galerie de portraits à lui seul, qui font plus d'une fois songer à* La Bruyère*[3]*. L'un des originaux des* Caractères,

---

1. Marivaux, *Journaux et œuvres diverses*, éd. Deloffre-Gilot, Garnier, 1969, p. 291; et «Les Aventures d'un comédien ambulant, traduites du *British Magazine*», *Journal encyclopédique*, décembre 1761, p. 100. Voir Angus Martin, «Marivaux, Goldsmith, Diderot et les cousins du Neveu de Rameau», *Sciences, Musiques et Lumières*. *Mélanges offerts à Anne-Marie Chouillet*, Ferney-Voltaire, 2002.
2. Cité par Hélène Vianu, «De *La Mouche* au *Neveu de Rameau*», *Revue des sciences humaines*, octobre-décembre 1963.
3. Le Neveu le cite entre Théophraste et Molière (p. 102).

*Théodas, crie, s'agite, se roule à terre, se relève, tonne,
éclate. La parataxe diderotienne est déjà en place. «Du
milieu de cette tempête il sort une lumière qui brille et
qui réjouit. Disons-le sans figure: il parle comme un
fou et pense comme un homme sage; il dit ridicule-
ment des choses vraies et follement des choses sensées
et raisonnables; on est surpris de voir naître et éclore
le bon sens du sein de la bouffonnerie, parmi les grimaces et les contorsions. Qu'ajouterai-je davantage?
Il dit et il fait mieux qu'il ne sait; ce sont en lui
comme deux âmes qui ne se connaissent point, qui ne
dépendent point l'une de l'autre, qui ont chacune leur
tour, ou leurs fonctions toutes séparées [1].» Le chiasme
et le paradoxe caractérisent le personnage. Diderot
peut donc réunir dans le seul Rameau les silhouettes
contrastées de Giton, tête toujours haute, et de Phédon,
tête toujours basse [2]. Il incarne dans un même corps
disloqué les disparates de la société.*

*Bien des contemporains se mêlent sans doute au
Neveu historique pour constituer le bateleur éblouis-
sant mis en scène par Diderot. Fougeret de Monbron [3],
l'homme au cœur velu, le tigre à deux pieds, apparaît
déjà dans la* Satire première. *Il a pu donner au Neveu
son cynisme et sa noirceur. Écrivain sans le sou, prêt
à toutes les bassesses, Rivière sollicite puis trahit son
bienfaiteur; il inspire sans doute* Lui et Moi [4], *dialogue
avorté qui fait partie des avant-textes ou des brouillons
du* Neveu de Rameau. *Inversement Galiani [5], l'ami*

---

1. La Bruyère, *Caractères*, «Des Jugements», 56.
2. «Des biens de fortune», 83. Voir note 1 de la p. 47 et
note 4 p. 59.
3. Voir p. 150, n. 1.
4. Voir Documents, p. 174.
5. P. 148 (et n. 2).

*Galiani qui a si souvent animé les soirées auxquelles
participe Diderot, a pu lui léguer son art d'égayer une
société, son sens du geste et du bon mot. La même
lettre du 20 octobre 1760 rapporte à Sophie l'histoire
du cadet de Carthagène*[1]*, une analyse du décousu de
la conversation et une évocation de l'abbé napolitain,
mimant le coucou et le rossignol, autant d'éléments
repris dans le* Neveu*: «Les contes de l'abbé napolitain sont bons, mais il les joue supérieurement. On
n'y tient pas. Vous auriez trop ri de lui voir tendre son
col en l'air, et faire la petite voix pour le rossignol; se
rengorger et prendre le ton rauque, pour le coucou;
redresser ses oreilles, et imiter la gravité bête et lourde
de l'âne; et tout cela, naturellement et sans y tâcher.
C'est qu'il est pantomime depuis la tête jusqu'aux
pieds*[2]*.» La tradition rapporte qu'il se serait bien vu
en buste en pleines Halles, «au milieu des farines et
des filles de Paris», à la façon dont Moi imagine
Rameau en bronze ou en marbre, «entre Diogène et
Phryné*[3]*». Le sympathique abbé a pu fournir des traits
au personnage du Neveu, tout comme la silhouette de
l'ami et compagnon d'armes, d'Holbach, n'est pas sans
annoncer celle du maussade patron du salon antiphilosophique. Il faut dire que Diderot croque pour Sophie
le baron «enveloppé dans une robe de chambre et renfoncé dans un bonnet de nuit», un jour d'automne
pluvieux, particulièrement mélancolique*[4]*. Galiani fait
son possible pour dérider son monde.*

1. P. 85.
2. *Correspondance*, t. III, p. 169-170. Voir France Marchal,
«Galiani, un modèle du neveu de Rameau. Le Prestige des
mimes», *R.H.L.F.*, septembre-octobre 1999.
3. Cf. p. 50.
4. *Correspondance*, t. III, p. 135. «Même pathologie, même
immobilité, même rictus», commente F. Marchal (p. 1015).

Il n'est pas utile de multiplier les rapprochements qui transforment quelques données de la réalité en une création littéraire. Il faut seulement rappeler l'importance qu'a eue le nom même de Rameau dans ce processus de contamination et de transformation. Dans les Salons, *les noms de François Boucher ou de Jean-Baptiste Pierre ont soufflé au critique ses développements sur les chairs étalées par le premier ou sur la rigidité pétrifiée des corps sous le pinceau du second. Les représentations de saint Denis ont une résonance particulière pour Denis Diderot. Dans* La Religieuse, *le seul prénom de Suzanne porte avec lui toutes les images de la jeune femme surprise et persécutée par les vieillards. Jean-François Rameau a été le premier à jouer sur son nom dans* La Raméide, *datée du jour des Rameaux; il y réclame l'aide de l'oncle pour son neveu:*

Tel, autour d'un haut chêne, un lierre à sa naissance
Soutient en l'embrassant sa trop frêle existence;
Si le chêne abattu le laisse à découvert,
Il sèche et dépérit au grand jour qui le perd[1]

Dès les premières répliques entre Moi et Lui, apparaît l'image du grand arbre qui fait s'étioler les plantes autour de lui mais promet de l'ombre pour les générations suivantes. Cette image conjugue sans doute le souvenir biblique du cèdre du Liban dont les rameaux abritent tous les oiseaux du ciel et la tradition antique de l'arbre planté par le cultivateur pour ses descendants. «Mes arrière-neveux me devront cet ombrage. / Eh bien, défendez-vous au Sage / De se

---

1. Cité dans *Rameau le neveu*, p. 127.

donner des soins pour le plaisir d'autrui? / Cela même est un fruit que je goûte aujourd'hui», explique le vieillard de La Fontaine[1].

Dans le syntagme neveu de Rameau, *la relation parentale redouble la question de la croissance et du temps*. Le terme rameau *évoque toute une mémoire du développement végétal dans sa logique à partir du tronc et dans sa luxuriance de feuilles. C'est la métaphore centrale de l'*Encyclopédie *et de l'arbre des connaissances.* «Il faut que cet arbre se ramifie le plus qu'il sera possible; qu'il parte de l'objet général comme d'un tronc; qu'il s'élève d'abord aux grandes branches ou premières divisions; qu'il passe de ces maîtresses branches à de moindres rameaux; et ainsi de suite, jusqu'à ce qu'il se soit étendu jusqu'aux termes particuliers qui seront comme les feuilles et la chevelure de l'arbre[2].» *Le même verbe est employé par* Lui *pour dire la dégénérescence:* «La vieille souche se ramifie en une énorme tige de sots» (p. 142). *Le* rameau *représente à la fois la continuité de la branche et l'écart par rapport au tronc, l'ordre naturel et la déviance. La richesse du nom est de renvoyer aussi au* ramage, *aux cris et aux voix des animaux. La mauvaise poésie de Robé est un charivari,* «le ramage barbare des habitants de la tour de Babel» (p. 101) *et le langage du Neveu* «un diable de ramage saugrenu, moitié des gens du monde et de lettres, moitié de la Halle» (p. 138). *Le* ramage *s'oppose à la voix et au chant. Par l'image de l'arbre, le* rameau *désigne les solidarités familiales et les enchaînements logiques;*

1. *Fables*, XI, 8. Voir Hisayasu Nakagawa, «L'abbé Bergier contre d'Holbach et Diderot», *Sciences, Musiques et Lumières*, p. 363-364.
2. *Encyclopédie*, t. V, p. 641A (nous soulignons).

*par l'image de la voix, il suggère l'harmonie et la
dissonance.*

*Il ne s'agit ni de s'enfermer dans le faux débat sur
la vérité historique du personnage et de sa rencontre
avec le Philosophe ni dans celui, non moins biaisé, sur
la prééminence d'un des deux interlocuteurs comme
si toute lecture supposait de faire son choix[1]. Les
grandes interprétations philosophiques ont pesé dans
ce sens, mais la richesse du texte lui permet d'échapper à tout discours réducteur.*

LES FORMES DE LA SATIRE

*Le titre, Satire seconde, n'a été ajouté au dialogue
que tardivement, lorsque Diderot a envoyé à son ami
Naigeon une libre digression[2] à partir d'une satire
d'Horace: «Quot capitum vivunt, totidem studio-
rum / Milia[3]», commentaire d'une satire, nommé lui-
même satire. Le parallèle entre les caractères
humains et les types animaux engage la méditation
sur le cri de la nature, le cri de la passion, mais aussi
sur les inflexions propres à chaque métier, à chaque
nation. Deux thèmes, développés dans le Neveu, tra-
versent implicitement cette Satire première, le lien
entre morale et esthétique et la concurrence entre
déterminisme physique et déterminisme social. Dide-*

1. Sur l'histoire de ce type de lecture, voir Michèle Duchet
et Michel Launay éd., *Entretiens sur «Le Neveu de Rameau»*,
Nizet, 1967; et D. J. Adams, *«Le Neveu de Rameau since 1950»*,
Studies on Voltaire, 217, 1983.
2. Cette *Satire première*, rédigée en 1773, sera diffusée dans
la *Correspondance littéraire* en 1778.
3. «Autant d'hommes, autant de goûts» (*Satires* d'Horace,
Livre II, satire I).

rot a ainsi tenu à souligner cette parenté entre les deux textes par la référence à un même genre.

Ernst Robert Curtius a consacré un appendice à Horace et Diderot dans sa somme sur les lieux communs légués par la tradition néo-latine à la littérature occidentale[1]. Il y rappelle la présence d'Horace tout au long de la vie de Diderot, ses tentatives de traduction, les citations et les épigraphes qu'il puise chez le modèle latin. Le portrait critique du dénommé Priscus, érigé en symbole de l'inconstance humaine, sert à l'esclave du poète, Davus, pour dénoncer les passions de son maître qui, tout citoyen libre qu'il soit, n'en est pas moins esclave de ses désirs[2]. Horace fournirait à Diderot le modèle d'un personnage capricieux et changeant et le scénario d'un renversement de saturnales qui fait de l'esclave le maître de son maître. Il est facile d'y voir un parallèle avec ce Neveu qui «dissemble» de lui-même et qui se permet de se moquer des contradictions de son interlocuteur. Herbert Dieckmann refuse de voir là plus qu'une «similitude intéressante» qui n'engage pas la dynamique intellectuelle du texte[3]. Rameau le Neveu joue les deux rôles de Davus et de Priscus, il prétend bien faire la morale au Philosophe nanti, mais il ne peut lui reprocher que ses propres défauts. Hans-Robert Jauss a prolongé la polémique, en remplaçant la référence à la satire horatienne par une référence à la satire ménippée qui, à la suite du dialogue socratique, s'attaquerait aux évidences et ruinerait les prétentions de

---

1. *Europäische Literatur und Lateinisches Mittelalter*, Berne, Francke, 1948 (trad. PUF, 1956), p. 556-564.
2. Horace, *Satires*, II, VII; voir p. 45, n. 1.
3. «Das Verhältnis zwischen Diderots Satire I et Satire II», *Diderot und die Aufklärung*, Stuttgart, Metzler, 1972.

la métaphysique. «*C'est en effet la forme polyphonique
de ce genre littéraire que Diderot a mise à profit pour
ses récits et pour son dernier dialogue philosophique*[1].»
*L'essentiel est peut-être dans l'origine bâtarde du
genre.*

La satire est pour Diderot un genre double qui renvoie à une esthétique du mélange et à une fonction
critique. Le chevalier de Jaucourt a consacré un long
article de l'Encyclopédie à la satyre, dont l'orthographie avec un y souligne la parenté avec les divinités
champêtres de la mythologie. «La satyre n'a pas toujours eu le même fonds, ni la même forme dans tous
les temps» (t. XIV, p. 697). C'était à l'origine chez les
Grecs une farce de village, «des railleries grossières,
des postures grotesques». Ces spectacles étaient dédiés
à Bacchus et les satyres ne manquaient pas d'y pro-
voquer le rire. C'est ensuite chez les Romains «un
poème réglé et mêlé de plaisanteries», puis «un poème
mêlé de diverses sortes de vers et attaché à plus d'un
sujet». Il lui revint enfin de «reprendre non seulement
les vices en général, mais les vicieux de son temps
d'entre ses citoyens». Trois éléments constitutifs du
Neveu apparaissent dans ces définitions successives:
la grosse plaisanterie, le libre entrelacement des motifs
et des sujets, la dénonciation des antiphilosophes. Le
propre de Diderot est d'établir des échos entre ces différentes acceptions du mot. Jean-François Rameau
amuse par ses contradictions et ses coq-à-l'âne, le
dialogue lui-même se permet des glissements et des
décalages. Dans un essai de traduction de la première
satire du premier livre d'Horace, Diderot, apprenti

---

1. «*Le Neveu de Rameau*. Dialogique et dialectique», repris
dans *Pour une herméneutique littéraire*, Gallimard, 1988.

*poète, remarque: «Je voulais jusqu'au bout suivre les
pas d'Horace; / Mais le dirai-je? ici mon guide s'embarrasse. / Son écrit décousu n'offre à mon jugement /
Que deux lambeaux exquis rapprochés sottement»*
(C.F.L., t. X, p. 862). *Le décousu caractérise à la
fois le personnage du Neveu («ses idées décousues»,
p. 48), la rêverie du Philosophe qui s'accorde une
récréation vespérale et la ligne capricieuse de leur
conversation à tous deux. La confusion est dans la
tête du Neveu («des idées si justes, pêle-mêle, avec
tant d'extravagances», p. 74) et semble être dans le
dialogue pour aider le lecteur à y échapper.*

*La satire correspond au goût de Diderot pour les
questions complexes qui engagent des problématiques
éloignées les unes des autres. Un original comme
Rameau incarne le déterminisme familial, la dissi-
dence sociale, l'immoralisme ou l'amoralisme et la
dissonance musicale. Jean-Philippe Rameau est l'auteur d'opéras magnifiques, mais il croit toujours à un
ordre de la nature, à une harmonie essentielle. Diderot est un philosophe militant dont l'œuvre a l'am-
pleur de l'*Encyclopédie, *la force des* Pensées sur
l'interprétation de la nature *(1753), pour ne citer que
les titres connus du public, mais il lui est difficile de
renoncer à l'autonomie du beau par rapport au bien.*
Rameau le neveu *est une force qui va et détruit ces
évidences anciennes.*

TRADUCTIONS, TRANSPOSITIONS, TRANSFORMATIONS

Lancé par la traduction de Goethe, Le Neveu de
Rameau *s'est vite imposé comme une référence litté-*

raire et philosophique. Le cynisme du Neveu est devenu le modèle d'une analyse clairvoyante de la violence sociale. Lorsque Balzac veut exposer les mensonges et les crimes qui sont l'envers d'une grande carrière de banquier, il choisit la forme d'une conversation dans un restaurant parisien. Il trouve chez Diderot l'exemple d'une «causerie pleine de l'âcre ironie qui change la gaieté en ricanerie»: «Ce pamphlet contre l'homme que Diderot n'osa pas publier, Le Neveu de Rameau; *ce livre, débraillé tout exprès pour montrer des plaies, est seul comparable à ce pamphlet dit sans aucune arrière-pensée, où le mot ne respecta même point ce que le penseur discute encore, où l'on ne construisit qu'avec des ruines, où l'on nia tout, où l'on n'admira que ce que le scepticisme adopte: l'omnipotence, l'omniscience, l'omniconvenance de l'argent [1].» Ce n'est pas seulement le beau qui divorce d'avec le bien, c'est la réalité sociale qui proclame l'inadéquation du point de vue moral. Le héros de* La Maison Nucingen *est un des grands vauriens, vantés par le Neveu, que la société s'empresse d'accueillir.*

Jules Janin se propose même de donner une suite au dialogue de Diderot. «La lecture du Neveu de Rameau, *explique en effet Pierre Larousse, laisse un regret; le type du musicien bohème est si intéressant, malgré son effronterie, qu'on s'y intéresse comme à un héros de roman, et c'en est véritablement un. Le dialogue de Diderot ne donne qu'un segment de sa longue carrière; on voudrait savoir ce que le drôle est devenu [2].» C'est à quoi s'est attaché Jules Janin qui*

---

1. *La Maison Nucingen* (1838), Folio, p. 129-130.
2. *Grand dictionnaire universel du XIXe siècle*, t. XI, 1874, p. 957, col. *b*.

*imagine les retrouvailles du Philosophe et du Neveu,
après le séjour russe de Diderot. C'est rue Taranne que
ce dernier le rencontre, jouant du violon devant une
troupe de curieux. «Le violon, tenu d'une main vigou-
reuse, s'appuyait sur une mâchoire armée d'une
rangée de dents qui auraient fait envie au requin lui-
même. La main droite, ornée à son petit doigt d'un
rubis de qualité médiocre, allait et venait rapide,
intelligente, et le terrible instrument, tout empli de
rires, de sanglots, de blasphèmes, de prières..., tant
d'amour, tant de douleur!... était d'une grande taille,
en même temps l'archet n'en finissait pas*[1].» *Janin se
plaît à décrire le personnage pittoresque et à imaginer
des discussions après celles de Diderot. Mais ce que les
rencontres gagnent en longueur et en précision, elles
le perdent en mordant. Les deux hommes ont acquis
une connivence que le texte original leur refuse. Le
Philosophe invite le parasite au restaurant et le reçoit
même chez lui, ce qui permet une évocation de Diderot dans sa nouvelle robe de chambre, devant la toile
de Vernet que le Neveu échangerait volontiers contre
une simple esquisse de Chardin. Les interlocuteurs
s'accordent à dénoncer un prétendu ordre social qui
n'est que la consécration du désordre. Le cynisme est
désormais incarné par le fils du Neveu qui vient lui
retourner ses paradoxes et prétend les mettre en pratique. La Guimard met son hôtel en vente ou plutôt
en loterie, image d'un monde qu'on brade et d'une
société qui se défait. Le vieux musicien raté se change
en victime émouvante et, tué par son fils qui lui fra-
casse le violon sur la tête, il fait même une fin édi-*

1. J. Janin, *La Fin d'un monde et du Neveu de Rameau*,
Dentu, coll. Hetzel, 1861, p. 9-10.

fiante: «*Ainsi parce qu'il était resté un homme de goût, il n'était pas tout à fait indigne de pardon. Il dit en même temps ses haines, ses amours, ses vengeances; son profond désespoir de tant de génie inutile, et de grandes idées si misérablement perdues, parce que son oncle avait négligé de l'instruire*[1].» *L'éditeur du* Neveu de Rameau *dans la petite collection de la Bibliothèque nationale, Nestor David, se réclame de Janin ou, du moins, s'abrite derrière l'autorité d'*«*un homme qui ne saurait être taxé ni d'athéisme, ni d'idées subversives*[2]». *La Fin d'un monde serait le complément et le correctif de l'œuvre de Diderot, «le contrepoison, si toutefois poison il y avait». Ce qu'il y a de vraiment inquiétant dans le dialogue de Diderot s'efface, recouvert par les bons sentiments*[3].

Cette inquiétude, il faut la chercher dans les grandes interprétations philosophiques, dans l'incarnation sur scène ou à l'écran et dans certaines imitations du xxᵉ *siècle, c'est-à-dire dans la théorisation, dans la mise en scène dramatique ou dans la prolongation d'un dialogue d'idées. Roland Mortier a suivi la diffusion allemande du manuscrit de Diderot et de la traduction de Goethe*[4]. *Hoffmann s'en inspire. Hegel prend le texte de Diderot comme un des rares exemples*

1. *Ibid.*, p. 341.
2. L'édition connaît quatre retirages, entre 1863 et 1867. Voir Roland Mortier, «Un commentaire du *Neveu de Rameau* sous le Second Empire», *R.H.L.F.*, 1960.
3. On trouvera d'autres références sur cette postérité chez Jacques Proust, *Lectures de Diderot*, Colin, 1974; Yoichi Sumi, «*Le Neveu de Rameau* et sa postérité», *Le Neveu de Rameau. Caprices et logiques du jeu*, France Tosho, 1975; et Raymond Trousson, *Images de Diderot en France. 1784-1913*, Champion, 1997.
4. R. Mortier, *Diderot en Allemagne (1750-1850)*, PUF, 1954.

concrets dans La Phénoménologie de l'esprit *(1806).*
À la conscience noble du Philosophe, le Neveu oppo-
serait sa conscience déchirée et révoltée. À la musique
des bons sentiments, il oppose un mélange d'airs dif-
férents et une juxtaposition de voix discordantes. Sa
force corrosive est de se situer au cœur même d'un
système insupportable. C'est le Neveu qui représente-
rait le moteur du texte, son entraînement critique.
Goethe et Hegel ont attiré l'attention des philosophes
allemands sur ce texte. Marx en 1869 découvre deux
exemplaires du Neveu de Rameau *chez lui et tient à*
en envoyer un à Friedrich Engels : «Le chef-d'œuvre
unique va te donner encore une fois du plaisir¹.»
Engels cite le Neveu *et le* Discours *de Rousseau sur*
*l'inégalité dans l'*Anti-Dühring *(1877), comme deux*
exemples de pensée dialectique au XVIIIᵉ siècle. Il faut
remarquer que Hegel et Marx ont pu lire dans le texte
de Diderot le mot aliénation *(p. 126), rendu par* Ent-
fremdung *dans la version de Goethe, dont l'un et*
l'autre ont fait l'usage que l'on sait². Le Neveu *est*
ainsi devenu un des grands textes de la tradition
marxiste, même si des représentants de cette tradition
ont tenu à critiquer l'interprétation hégélienne, trop
favorable au personnage de Lui, et à rendre au Philo-
sophe sa fonction de référence et de garant. «Rameau,
ce musicien-pitre à qui la "molécule" a manqué, ne
s'est échappé de la ménagerie que pour un temps ; un
temps trop court. Le philosophe ne s'apprivoisera

1. *Marx-Engels-Werke*, Berlin, Dietz Verlag, t. XXXII, 1965, p. 304.
2. Voir Jacques d'Hondt, «Les surprenants rameaux du Neveu (l'interprétation de Hegel et de Marx)», *Sciences, Musiques et Lumières*.

pas[1].» Le Neveu *joue encore un rôle décisif dans l'aventure conceptuelle que raconte l'*Histoire de la folie à l'âge classique *(1961) de Michel Foucault. «Il faut l'interroger comme un paradigme raccourci de l'histoire [...]. Pendant l'éclair d'un instant, il dessine la grande ligne brisée qui va de la Nef des fous aux dernières paroles de Nietzsche et peut-être jusqu'aux vociférations d'Artaud[2].» Il désigne le moment où la déraison va être expulsée de l'espace social et refoulée à l'hôpital comme folie. Il s'apparente encore au fou du roi, mais révèle le dévoiement de la raison moderne.*

La force inspiratrice du Neveu *est également sensible dans les imitations qu'il a inspirées. En pleine glaciation stalinienne, Aragon fait débattre de l'actualité politique par un Moi communiste et un Lui libéral. C'est dans l'évocation du cadre de la rencontre que l'ancien poète surréaliste peut toucher son lecteur. «C'est une étrange chose qu'un homme qui a des habitudes. Ou tout au moins cela me semble ainsi aujourd'hui que ma vie n'en a plus qu'une, et dévorante. Qui ne me laisse aucune possibilité de me complaire à un lieu, à une heure du jour, à une lumière de Paris, ainsi qu'il m'arrivait, étant jeune, et m'imaginant libre[3].» Le voici pourtant au café de la Régence, regrettant l'ancien décor sacrifié au nom du commerce, et voici son contradicteur. La place du Théâtre-Français est remplacée par le Sacher de Vienne dans*

---

1. Roland Desné, «Monsieur le philosophe et le fieffé truand», *Europe*, janvier-février 1963; voir son introduction à l'édition d*u Neveu de Rameau*, Club des Amis du livre progressiste, 1963. — Sur la «molécule», voir p. 133.
2. Gallimard, «Tel», 1976, p. 432.
3. Aragon, *Le Neveu de M. Duval*, Les Éditeurs français réunis, 1953.

Le Neveu de Wittgenstein *de Thomas Bernhard.*
L'oncle est Ludwig Wittgenstein, le fameux philo-
sophe, et son neveu, Paul, sportif et musicien, dandy
révulsé par la bonne conscience de sa famille qui le
fait enfermer. Ce n'est plus une curiosité méfiante qui
rapproche Lui et Moi, c'est une amitié profonde, une
solidarité morale qui réunit l'écrivain et ce neveu trop
doué, trop lucide[1]. *Jacques-Alain Miller se propose de*
jouer les deux rôles, d'occuper les deux positions pour
faire la satire des intellectuels parisiens. «Je ne sais
lequel écrit ces pages», annonce Le Neveu de Lacan.
La psychanalyse engage une réécriture du texte: «Je
m'entretiens avec lui de politique, d'amour, de goût,
ou de philosophie. Je provoque son inconscient à tout
son libertinage logique. Je le laisse maître de suivre la
première idée sage ou folle qui se présente, comme on
voit sur un divan celui ou celle qui s'allonge parler
sans souci de sens, ni de décence, quitter un souvenir
pour une facétie, revenir d'un jeu plus sérieux qu'il ne
croit, au sérieux, plus futile qu'il ne sait, et ne se sen-
tir enfin lié par rien. Ses pensées, ce sont ses catins.
Les miennes, ses chiens[2].*»* Le dialogue est confronta-
tion, complicité, dédoublement.

Tout au long de la satire, le Neveu joue son rôle et
fait son théâtre. La tentation était forte de le porter à
la scène. Sous le Second Empire, Paul de Musset
dans Le Neveu de Rameau ou l'École des artistes
(vers 1860), puis Michel Carré et Raymond Deslandes
dans Une journée de Diderot *(1868) ont cédé à la*
*tentation. C'est au XX*e *siècle que l'œuvre de Diderot*

1. T. Bernhard, *Wittgensteins Neffe. Eine Freundschaft,*
Francfort, Suhrkamp, 1982. Traduction française, Gallimard,
1985.

2. J.-A. Miller, *Le Neveu de Lacan. Satire,* Verdier, 2003.

devient un classique de la scène. *Pour le bicentenaire approximatif de la conception du texte et pour le deux cent cinquantième anniversaire de la naissance de l'auteur, Pierre Fresnay monta au Théâtre de la Michodière une adaptation du* Neveu. *L'adaptateur et interprète du* Neveu *revendique le texte pour le théâtre comme une évidence :* «Peut-on ne pas s'étonner de ce que le puissant potentiel dramatique de ce dialogue et de ce personnage ait attendu deux siècles sa libération, et de ce que ce texte, admiré en tant qu'œuvre littéraire, n'ait pas, bien plus tôt, pris la place qui lui est due parmi les titres, si peu nombreux, du grand répertoire théâtral [1] ?» *La mise en scène donne le beau rôle au* Neveu «en qui s'incarne, chemin faisant, l'esprit prérévolutionnaire, les excès de goût du romantisme prêt à éclore, et jusqu'au nihilisme de notre propre temps [2]». *La réduction du texte pour la durée d'une représentation entraîne des coupures dont certaines ne sont pas sans effet. L'anecdote du renégat d'Avignon disparaît et le chant à la gloire du grand criminel perd son fondement (p. 119). Le brio de Pierre Fresnay a relégué* Moi *dans la pénombre et donné à* Lui *un lustre qu'ont ensuite perpétué Michel Bouquet, puis Jacques Weber [3]. L'idée était désormais reçue que le théâtre était partout chez Diderot sauf dans son théâtre.*

1. *Le Neveu de Rameau.* Adaptation à la scène de la satire dialoguée de Diderot par Pierre Fresnay et Jacques-Henri Duval, Théâtre de la Michodière, 1963, 2ᵉ éd. 1965, p. 11.
2. *Ibid.*, p. 12.
3. Voir John S. Wood, «*Le Neveu de Rameau* à la scène», *Revue d'histoire du théâtre*, 1967, et J. Chouillet, «Adaptations scéniques», en annexe à son édition (Imprimerie nationale, 1982, p. 255-256).

Une telle postérité a imposé la lecture dominante du Neveu. *Au nom de la dialectique, du romantisme ou du théâtre, le personnage de Lui a semblé avoir le dernier mot du dialogue, comme dans ces débats politiques où les journalistes décident du vainqueur, indépendamment de la qualité des arguments avancés. Il serait l'esprit de négation ou de dérision, il garderait malgré les années la grâce décoiffée de la jeunesse et attirerait spontanément vers lui le regard des spectateurs. Tous ceux qui préféraient un Diderot artiste à un Diderot militant, un manipulateur de mots à un combattant d'idées ont abondé en ce sens. À la façon des joueurs d'échecs du café de la Régence, on s'est laissé captiver par celui qui faisait le plus de bruit, Méphistophélès orphelin de tout Satan, révolté sur le retour, bête de scène en quête de reconnaissance. Réduite à une progression rhétorique, la dialectique hégélienne ou prétendue telle donnait un sens à un dialogue qui déroutait et une logique simple à un débat qui se dispersait.*

La postérité elle-même avait plus d'un tour dans son sac. C'est d'Allemagne, une fois de plus, qu'est venu Voltaires Neffe, Le Neveu de Voltaire[1]. *Hans Magnus Enzensberger entretient une longue familiarité avec Diderot. Il a traduit plusieurs de ses dialogues[2], il a repris deux ans plus tard l'adaptation que Goethe avait faite du* Neveu *pour la détourner, l'actualiser, la compliquer encore si possible. Le Neveu et le Philosophe se rencontrent dans les salons d'une académie qui a invité Voltaire à tenir une conférence.*

---

1. Hans Magnus Enzensberger, *Voltaires Neffe. Eine Fälschung in Diderots Manier*, Francfort, Suhrkamp, 1996.
2. *Diderots Schatten*, Francfort, Suhrkamp, 1994.

Ils restent à la porte et la discussion glisse sans cesse de la traduction du texte de Diderot à des passages à la manière de Diderot. La substitution de Voltaire à Jean-Philippe Rameau écarte l'interrogation sur l'hétérogénéité des valeurs esthétiques et morales pour préciser la contradiction entre deux versions des Lumières selon Voltaire l'officiel et Diderot le critique. Le Neveu n'a plus le monopole de la pantomime, le Philosophe s'y met à son tour, contrefaisant Voltaire, dupe de son neveu, et Mme Denis la nièce, méfiante envers l'autre parent. Le Supplément au Voyage de Bougainville *s'invite au milieu du* Neveu de Rameau. *Diderot, le collaborateur masqué de l'abbé Raynal dans l'*Histoire des deux Indes, *dénonce le colonialisme et ce qui ne se nomme pas encore la mondialisation. Il démasque la vérité d'un grand commerce dont Voltaire s'est fait le chantre. Lorsque les invités sortent de la conférence, ils sont en costume moderne. Le Philosophe et le Neveu restent seuls en tenue du* XVIIIe *siècle. Déjà une machine à café, un téléphone portable et quelque autre anachronisme avaient averti le spectateur. L'histoire continue, le débat nous concerne.*

Celui qui a toujours préféré l'aventure, le fragment et la suggestion à la fermeture dogmatique pourrait-il se plaindre de la diversité de tels transformations et détournements ? Dans l'ébauche de dialogue intitulée Lui et Moi, *le Philosophe repoussait les sollicitations de son interlocuteur ; le mépris l'emportait sur la curiosité ; les positions étaient simples et l'œuvre avortait. Dans* Le Neveu de Rameau, Moi *accepte les risques d'un échange faussé et se livre aux critiques de plus ou moins bonne foi que son interlocuteur lui assène. La vérité du dialogue ne peut plus se trouver*

chez un seul de ceux qu'il faut bien désormais appe-
ler des partenaires. Les deux voix du dialogue ne se
confondent ni avec des personnes psychologiques ni
avec des positions idéologiques simples. Le Neveu
pose de vraies questions, fait de bonnes objections et
fournit de pitoyables argumentations. Moi reconnaît
la fascination qu'exerce un être méprisable. L'un
s'empêtre dans ses contradictions et ses provocations,
l'autre se trouve face à d'impraticables modèles : l'hé-
roïsme de Socrate qui mènerait à Vincennes ou à la
Bastille, le cynisme de Diogène qui conduirait sans
doute à la misanthropie de Jean-Jacques, sans parler
de la monomanie sublime des créateurs, indifférents
à ce qui n'est pas leur création. Derrière les grimaces
de son adversaire, derrière ses gesticulations et ses
pantomimes, Moi se prend à rêver à un grand art dra-
matique nouveau. Le Philosophe bon père de famille
dont il joue le rôle appartient à ce drame bourgeois
dont il a déjà proposé une défense et illustration,
Jean-François Rameau, bouffon et sublime, relève d'un
autre drame qui n'a pas encore de nom. Le larbin
méprisable des antiphilosophes sert de prétexte à une
méditation sur le théâtre d'avenir. Le dialogue s'ouvre
sur le cas Racine et s'achève par la cloche de l'opéra :
l'enchaînement des pantomimes est habité par le
pressentiment d'un tragique délivré de la poétique
traditionnelle.

Les arguments tournent d'un interlocuteur à l'autre,
les références changent de sens. Bien des tirades de
Lui s'apparentent à l'éloge paradoxal, la relation
entre les deux hommes est plus proche de l'inversion
carnavalesque que d'un renversement hégélien, et la
construction du texte relève de la farcissure ou de l'al-
longeail de la Renaissance plutôt que d'une rigueur

dialectique moderne. C'est pourtant l'avenir qui s'y invente à l'aveugle. Le progrès avance à reculons. Le vrai dialogue se déplace entre Diderot et son lecteur, Diderot et nous-mêmes. Rira bien qui rira le dernier.

MICHEL DELON

Le Neveu de Rameau

SATIRE 2^{de}ᵃ

Vertumnis, quotquot sunt, natus iniquis

HORAT.
Lib. II. Satyr. VII[1]

Qu'il fasse beau, qu'il fasse laid; c'est mon habitude d'aller sur les 5 heures du soir me promener au Palais-Royal[2]. C'est moi qu'on voit, toujours seul, rêvant sur le banc d'Argenson. Je m'entretiens avec moi-même de politique, d'amour, de goût ou de philosophie. J'abandonne mon esprit à tout son libertinage[3]. Je le laisse maître de suivre la première idée sage ou folle qui se présente, comme on voit dans l'allée de Foy nos jeunes dissolus marcher sur les pas d'une courtisane à l'air éventé[4], au visage riant, à l'œil vif, au nez retroussé, quitter celle-ci pour une autre, les attaquant toutes et ne s'attachant à aucune. Mes pensées, ce sont mes catins. Si le temps est trop froid, ou trop pluvieux, je me réfugie au café de la Régence[5]; là je m'amuse à voir jouer aux échecs. Paris est l'endroit du monde; et le café de la Régence est l'endroit de Paris où l'on joue le mieux à ce jeu. C'est chez Rey que font assaut Legal le profond, Philidor^b le subtil, le solide Mayot[6]; qu'on voit les coups les plus surprenants, et qu'on entend les plus mauvais propos ; car si l'on peut être homme d'esprit et grand joueur d'échecs, comme Legal ; on peut être aussi un grand joueur d'échecs, et un sot, comme Foubert et Mayot. Un après-dîner, j'étais là, regardant beaucoup, parlant peu, et écoutant le moins que je pouvais[1] ; lorsque je fus abordé par un des plus bizarres personnages de ce pays où Dieu n'en a pas laissé manquer. C'est un composé de hauteur et de bassesse, de bon sens et de déraison[2]. Il faut que les notions de l'honnête et du déshonnête soient bien étrangement brouillées dans sa tête ; car il montre ce que la nature lui a donné de bonnes qualités, sans ostentation, et ce qu'il en a reçu de mauvaises, sans pudeur. Au reste il est doué d'une organisation forte, d'une chaleur d'imagination singulière, et d'une vigueur de poumons peu commune. Si vous le rencontrez jamais et que son originalité[3] ne vous arrête pas[4] ; ou vous mettrez vos doigts dans vos oreilles, ou vous vous enfuirez. Dieux, quels terribles poumons. Rien ne dissemble plus de lui que lui-même[5]. Quelquefois, il est maigre et hâve, comme un malade au dernier degré de la consomption ; on compterait ses dents à travers ses joues. On dirait qu'il a passé plusieurs jours sans manger, ou qu'il sort de la Trappe[6]. Le mois suivant, il est gras et replet, comme s'il n'avait pas quitté la table d'un financier, ou qu'il eût été renfermé dans un couvent de bernardins. Aujourd'hui, en linge sale, en culotte déchirée, couvert de lambeaux, presque sans souliers, il va la tête basse, il se dérobe, on serait tenté de l'appeler, pour lui donner l'aumône. Demain, poudré, chaussé, frisé, bien vêtu, il marche la tête haute, il se montre, et vous le prendriez au peu près

pour un honnête homme[1]. Il vit au jour la journée.
Triste ou gai selon les circonstances. Son premier
soin, le matin, quand il est levé, est de savoir où il
dînera ; après dîner, il pense où il ira souper. La
nuit amène aussi son inquiétude. Ou il regagne, à
pied, un petit grenier qu'il habite, à moins que l'hô-
tesse ennuyée d'attendre son loyer, ne lui en ait
redemandé la clef ; ou il se rabat dans une taverne
du faubourg[2] où il attend le jour, entre un morceau
de pain et un pot de bière. Quand il n'a pas six sols
dans sa poche, ce qui lui arrive quelquefois, il a
recours soit à un fiacre[3] de ses amis, soit au cocher
d'un grand seigneur qui lui donne un lit sur de la
paille, à côté de ses chevaux. Le matin, il a encore
une partie de son matelas dans ses cheveux. Si la
saison est douce, il arpente toute la nuit, le Cours ou
les Champs-Élysées[4]. Il reparaît avec le jour, à la
ville, habillé de la veille pour le lendemain, et du
lendemain quelquefois pour le reste de la semaine.
Je n'estime pas ces originaux-là. D'autres en font
leurs connaissances familières, même leurs amis.
Ils m'arrêtent une fois l'an, quand je les rencontre,
parce que leur caractère tranche avec celui des
autres, et qu'ils rompent cette fastidieuse uniformité
que notre éducation, nos conventions de société, nos
bienséances d'usage ont introduite. S'il en paraît un
dans une compagnie ; c'est un grain de levain qui
fermente[5] et qui restitue à chacun une portion de
son individualité[6] naturelle. Il secoue, il agite ; il fait
approuver ou blâmer ; il fait sortir la vérité ; il fait
connaître les gens de bien ; il démasque les coquins ;
c'est alors que l'homme de bon sens écoute, et
démêle son monde.

Je connaissais celui-ci de longue main. Il fréquen-

tait dans une maison dont son talent lui avait ouvert
la porte. Il y avait une fille unique. Il jurait au père
et à la mère qu'il épouserait leur fille. Ceux-ci haus-
saient les épaules, lui riaient au nez, lui disaient
qu'il était fou, et je vis le moment que la chose était
faite. Il m'empruntait quelques écus que je lui don-
nais. Il s'était introduit ; je ne sais comment, dans
quelques maisons honnêtes, où il avait son couvert,
mais à la condition qu'il ne parlerait pas, sans en
avoir obtenu la permission. Il se taisait, et mangeait
de rage. Il était excellent à voir dans cette contrainte.
S'il lui prenait envie de manquer au traité, et qu'il
ouvrît la bouche ; au premier mot, tous les convives
s'écriaient, «ô Rameau!», alors la fureur étincelait
dans ses yeux, et il se remettait à manger avec plus
de rage. Vous étiez curieux de savoir le nom de
l'homme, et vous le savez. C'est le neveu de ce musicien célèbre qui nous a délivrés du plain-chant de
Lulli que nous psalmodiions depuis plus de cent
ans ; qui a tant écrit de visions inintelligibles et de
vérités apocalyptiques sur la théorie de la musique,
où ni lui ni personne n'entendit jamais rien, et de
qui nous avons un certain nombre d'opéras où il y a
de l'harmonie, des bouts de chants, des idées décousues[1], du fracas, des vols, des triomphes, des lances,
des gloires, des murmures, des victoires[2] à perte
d'haleine ; des airs de danse qui dureront éternelle-
ment, et qui, après avoir enterré le Florentin, sera
enterré par les virtuoses italiens, ce qu'il pressentait
et le rendait sombre, triste, hargneux ; car personne
n'a autant d'humeur, pas même une jolie femme qui
se lève avec un bouton sur le nez, qu'un auteur
menacé de survivre à sa réputation ; témoins Marivaux et Crébillon le fils[a3].

Il m'aborde... «Ah, ah, vous voilà, monsieur le philosophe; et que faites-vous ici parmi ce tas de fainéants? est-ce que vous perdez aussi votre temps à pousser le bois?» C'est ainsi qu'on appelle par mépris jouer aux échecs ou aux dames.

MOI : Non; mais quand je n'ai rien de mieux à faire, je m'amuse à regarder un instant, ceux qui le poussent bien.

LUI : En ce cas, vous vous amusez rarement; excepté Legal et Philidor[a], le reste n'y entend rien.

MOI : Et M. de Bissy[1] donc.

LUI : Celui-là est en joueur d'échecs, ce que Mlle Clairon[2] est en acteur. Ils savent de ces jeux, l'un et l'autre, tout ce qu'on en peut apprendre.

MOI : Vous êtes difficile; et je vois que vous ne faites grâce qu'aux hommes sublimes.

LUI : Oui, aux échecs, aux dames, en poésie, en éloquence, en musique, et autres fadaises comme cela. À quoi bon la médiocrité[3] dans ces genres.

MOI : À peu de chose; j'en conviens. Mais c'est qu'il faut qu'il y ait un grand nombre d'hommes qui s'y appliquent, pour faire sortir l'homme de génie. Il est un dans la multitude. Mais laissons cela. Il y a une éternité que je ne vous ai vu. Je ne pense guères à vous, quand je ne vous vois pas. Mais vous me plaisez toujours à revoir. Qu'avez-vous fait?

LUI : Ce que vous, moi et tous les autres font; du bien, du mal et rien. Et puis j'ai eu faim, et j'ai mangé, quand l'occasion s'en est présentée; après avoir mangé, j'ai eu soif, et j'ai bu quelquefois. Cependant la barbe me venait; et quand elle a été venue, je l'ai fait raser.

MOI : Vous avez mal fait. C'est la seule chose qui vous manque, pour être un sage.

LUI : Oui-da. J'ai le front grand et ridé[1] ; l'œil ardent ; le nez saillant ; les joues larges ; le sourcil noir et fourni ; la bouche bien fendue ; la lèvre rebordée[2] ; et la face carrée. Si ce vaste menton était couvert d'une longue barbe, savez-vous que cela figurerait très bien en bronze ou en marbre.

MOI : À côté d'un César, d'un Marc Aurèle, d'un Socrate.

LUI : Non, je serais mieux entre Diogène et Phryné[3]. Je suis effronté comme l'un, et je fréquente volontiers chez les autres.

MOI : Vous portez-vous toujours bien ?

LUI : Oui, ordinairement ; mais pas merveilleusement aujourd'hui.

MOI : Comment ? vous voilà avec un ventre de Silène[4] ; et un visage…

LUI : Un visage qu'on prendrait pour son antagoniste[a][5]. C'est que l'humeur qui fait sécher mon cher oncle engraisse apparemment son cher neveu.

MOI : À propos de cet oncle, le voyez-vous quelquefois ?

LUI : Oui, passer dans la rue.

MOI : Est-ce qu'il ne vous fait aucun bien ?

LUI : S'il en fait à quelqu'un, c'est sans s'en douter. C'est un philosophe dans son espèce. Il ne pense qu'à lui ; le reste de l'univers lui est comme d'un clou à soufflet[6]. Sa fille et sa femme n'ont qu'à mourir, quand elles voudront ; pourvu que les cloches de la paroisse, qu'on sonnera pour elles, continuent de résonner la douzième et la dix-septième[7], tout sera bien. Cela est heureux pour lui ; et c'est ce que je prise particulièrement dans les gens de génie. Ils ne sont bons qu'à une chose. Passé cela, rien. Ils ne savent ce que c'est d'être citoyens, pères, mères,

frères, parents, amis*ᵃ*. Entre nous, il faut leur ressembler de tout point ; mais ne pas désirer que la
graine en soit commune. Il faut des hommes ; mais
pour des hommes de génie ; point. Non, ma foi, il
n'en faut point. Ce sont eux qui changent la face du
globe ; et dans les plus petites choses, la sottise est si
commune et si puissante qu'on ne la réforme pas
sans charivari. Il s'établit partie de ce qu'ils ont
imaginé. Partie reste, comme il était ; de là deux
évangiles ; un habit d'Arlequin. La sagesse du moine
de Rabelais, est la vraie sagesse, pour son repos et
pour celui des autres, faire son devoir, tellement
quellement[1] ; toujours dire du bien de monsieur le
prieur ; et laisser aller le monde à sa fantaisie[2]. Il va
bien, puisque la multitude en est contente. Si je
savais l'histoire, je vous montrerais que le mal est
toujours venu ici-bas, par quelque homme de génie.
Mais je ne sais pas l'histoire, parce que je ne sais
rien[3]. Le diable m'emporte, si j'ai jamais rien appris ;
et si pour n'avoir rien appris, je m'en trouve plus
mal. J'étais un jour à la table d'un ministre du roi de
France qui a de l'esprit comme quatre[4] ; hé bien, il
nous démontra clair comme un et un font deux, que
rien n'était plus utile aux peuples que le mensonge ;
rien de plus nuisible que la vérité[5]. Je ne me rappelle pas bien ses preuves ; mais il s'ensuivait évi-
demment que les gens de génie sont détestables,
et que si un enfant apportait en naissant, sur son
front, la caractéristique de ce dangereux présent de
la nature, il faudrait ou l'étouffer, ou le jeter au
cagnard*ᵇ*[6].

MOI : Cependant ces personnages-là, si ennemis
du génie, prétendent tous en avoir.

LUI : Je crois bien qu'ils le pensent au-dedans

d'eux-mêmes; mais je ne crois pas qu'ils osassent l'avouer.

MOI : C'est par modestie. Vous conçûtes donc là, une terrible haine contre le génie.

LUI : À n'en jamais revenir.

MOI : Mais j'ai vu un temps que vous désespériez de n'être qu'un homme commun. Vous ne serez jamais heureux, si le pour et le contre vous afflige également. Il faudrait prendre son parti, et y demeurer attaché. Tout en convenant avec vous que les hommes de génie sont communément singuliers, ou comme dit le proverbe, qu'il n'y a point de grands esprits sans un grain de folie[1], on n'en reviendra pas. On méprisera les siècles qui n'en auront pas produit. Ils feront l'honneur des peuples chez lesquels ils auront existé; tôt ou tard, on leur élève des statues, et on les regarde comme les bienfaiteurs du genre humain[2]. N'en déplaise au ministre sublime que vous m'avez cité, je crois que si le mensonge peut servir un moment, il est nécessairement nuisible à la longue; et qu'au contraire, la vérité sert nécessairement à la longue, bien qu'il puisse arriver qu'elle nuise dans le moment[3]. D'où je serais tenté de conclure que l'homme de génie qui décrie une erreur générale, ou qui accrédite une grande vérité, est toujours un être digne de notre vénération. Il peut arriver que cet être soit la victime du préjugé et des lois; mais il y a deux sortes de lois, les unes d'une équité, d'une généralité absolues; d'autres bizarres qui ne doivent leur sanction qu'à l'aveuglement ou la nécessité des circonstances. Celles-ci ne couvrent le coupable qui les enfreint que d'une ignominie passagère; ignominie que le temps reverse sur les juges et sur les nations, pour y rester à jamais. De Socrate, ou du magistrat qui lui fit boire la ciguë, quel est aujourd'hui le déshonoré[1]?

LUI : Le voilà bien avancé! en a-t-il été moins condamné? en a-t-il moins été mis à mort? en a-t-il moins été un citoyen turbulent[2]? par le mépris d'une mauvaise loi, en a-t-il moins encouragé les fous, au mépris des bonnes? en a-t-il moins été un particulier audacieux[3] et bizarre? vous n'étiez pas éloigné tout à l'heure d'un aveu peu favorable aux hommes de génie.

MOI : Écoutez-moi, cher homme. Une société ne devrait point avoir de mauvaises lois; et si elle n'en avait que de bonnes, elle ne serait jamais dans le cas de persécuter un homme de génie. Je ne vous ai pas dit que le génie fût indivisiblement attaché à la méchanceté, ni la méchanceté au génie. Un sot sera plus souvent un méchant qu'un homme d'esprit[4]. Quand un homme de génie serait communément d'un commerce dur, difficile, épineux[5], insupportable; quand même ce serait un méchant, qu'en concluriez-vous?

LUI : Qu'il est bon à noyer.

MOI : Doucement, cher homme. Çà, dites-moi; je ne prendrai pas votre oncle, pour exemple; c'est un homme dur; c'est un brutal; il est sans humanité; il est avare. Il est mauvais père, mauvais époux; mauvais oncle; mais il n'est pas assez décidé que ce soit un homme de génie; qu'il ait poussé son art fort loin, et qu'il soit question de ses ouvrages dans dix ans. Mais Racine[6]? celui-là certes avait du génie, et ne passait pas pour un trop bon homme. Mais De Voltaire[a7]?

LUI : Ne me pressez pas; car je suis conséquent.

MOI : Lequel des deux préféreriez-vous? ou qu'il

eût été un bon homme, identifié avec son comptoir,
comme Briasson[a], ou avec son aune, comme Barbier[b1]; faisant régulièrement tous les ans un enfant
légitime à sa femme, bon mari; bon père, bon oncle,
bon voisin, honnête commerçant, mais rien de plus;
ou qu'il eût été fourbe, traître, ambitieux, envieux,
méchant; mais auteur d'*Andromaque*, de *Britanni-
cus*, d'*Iphigénie*, de *Phèdre*, d'*Athalie*.

LUI : Pour lui, ma foi, peut-être que de ces deux
hommes, il eût mieux valu qu'il eût été le premier.

MOI : Cela est même infiniment plus vrai que vous
ne le sentez.

LUI : Oh vous voilà, vous autres! Si nous disons
quelque chose de bien; c'est comme des fous, ou
des inspirés; par hasard. Il n'y a que vous autres qui
vous entendiez. Oui, monsieur, le philosophe. Je
m'entends; et je m'entends ainsi que vous vous
entendez.

MOI : Voyons; hé bien, pourquoi pour lui?

LUI : C'est que toutes ces belles choses-là qu'il a
faites ne lui ont pas rendu vingt mille francs; et que
s'il eût été un bon marchand en soie de la rue Saint-
Denis ou Saint-Honoré, un bon épicier en gros, un
apothicaire bien achalandé, il eût amassé une fortune immense, et qu'en l'amassant, il n'y aurait eu
sorte de plaisirs dont il n'eût joui; qu'il aurait donné
de temps en temps la pistole à un pauvre diable
de bouffon comme moi qui l'aurait fait rire, qui lui
aurait procuré dans l'occasion une jeune fille qui
l'aurait désennuyé de l'éternelle cohabitation avec
sa femme[2]; que nous aurions fait d'excellents repas
chez lui, joué gros jeu; bu d'excellents vins, d'excellentes liqueurs, d'excellents cafés, fait des parties de
campagne, et vous voyez que je m'entendais. Vous

riez. Mais laissez-moi dire. Il eût été mieux pour ses entours[1].

MOI : Sans contredit ; pourvu qu'il n'eût pas employé d'une façon déshonnête l'opulence qu'il aurait acquise par un commerce légitime ; qu'il eût éloigné de sa maison, tous ces joueurs ; tous ces parasites ; tous ces fades complaisants ; tous ces fainéants, tous ces pervers inutiles[2] ; et qu'il eût fait assommer à coups de bâtons, par ses garçons de boutique, l'homme officieux qui soulage par la variété, les maris, du dégoût d'une cohabitation habituelle avec leurs femmes.

LUI : Assommer ! monsieur, assommer ! on n'assomme personne dans une ville bien policée. C'est un état honnête. Beaucoup de gens, même titrés, s'en mêlent. Et à quoi diable, voulez-vous donc qu'on emploie son argent, si ce n'est à avoir bonne table, bonne compagnie, bons vins, belles femmes, plaisirs de toutes les couleurs[3], amusements de toutes les espèces. J'aimerais autant être gueux que de posséder une grande fortune, sans aucune de ces jouissances[4]. Mais revenons à Racine. Cet homme n'a été bon que pour des inconnus, et que pour le temps où il n'était plus.

MOI : D'accord. Mais pesez le mal et le bien. Dans mille ans d'ici, il fera verser des larmes ; il sera l'admiration des hommes, dans toutes les contrées de la terre. Il inspirera l'humanité, la commisération, la tendresse[5] ; on demandera qui il était, de quel pays, et on l'enviera à la France. Il a fait souffrir quelques êtres qui ne sont plus ; auxquels nous ne prenons presque aucun intérêt ; nous n'avons rien à redouter ni de ses vices ni de ses défauts. Il eût été mieux sans doute qu'il eût reçu de la nature les vertus d'un

homme de bien, avec les talents d'un grand homme.
C'est un arbre qui a fait sécher quelques arbres
plantés dans son voisinage ; qui a étouffé les plantes
qui croissaient à ses pieds ; mais il a porté sa cime
jusque dans la nue ; ses branches se sont étendues
au loin ; il a prêté son ombre à ceux qui venaient,
qui viennent et qui viendront se reposer autour de
son tronc majestueux ; il a produit des fruits d'un
goût exquis et qui se renouvellent sans cesse[1]. Il
serait à souhaiter que De Voltaire eût encore la douceur de Duclos[a], l'ingénuité de l'abbé Trublet, la
droiture de l'abbé d'Olivet[2] ; mais puisque cela ne se
peut ; regardons la chose du côté vraiment intéressant ; oublions pour un moment le point que nous
occupons dans l'espace et dans la durée ; et éten-
dons notre vue sur les siècles à venir, les régions les
plus éloignées, et les peuples à naître. Songeons au
bien de notre espèce. Si nous ne sommes pas assez
généreux ; pardonnons au moins à la nature d'avoir
été plus sage que nous. Si vous jetez de l'eau froide
sur la tête de Greuze[3], vous éteindrez peut-être son
talent avec sa vanité. Si vous rendez De Voltaire
moins sensible à la critique, il ne saura plus descendre dans l'âme de Mérope[4]. Il ne vous touchera
plus.

LUI : Mais si la nature était aussi puissante que
sage ; pourquoi ne les a-t-elle pas faits aussi bons
qu'elle les a faits grands ?

MOI : Mais ne voyez-vous pas qu'avec un pareil
raisonnement vous renversez l'ordre général, et
que si tout ici-bas était excellent, il n'y aurait rien
d'excellent.

LUI : Vous avez raison. Le point important est que
vous et moi nous soyons, et que nous soyons vous et

moi. Que tout aille d'ailleurs comme il pourra. Le meilleur ordre des choses, à mon avis, est celui où j'en devais être ; et foin du plus parfait des mondes, si je n'en suis pas. J'aime mieux être, et même être impertinent raisonneur que de n'être pas.

moi : Il n'y a personne qui ne pense comme vous, et qui ne fasse le procès à l'ordre qui est ; sans s'apercevoir qu'il renonce à sa propre existence.

lui : Il est vrai.

moi : Acceptons donc les choses comme elles sont. Voyons ce qu'elles nous coûtent et ce qu'elles nous rendent ; et laissons là le tout que nous ne connaissons pas assez pour le louer ou le blâmer ; et qui n'est peut-être ni bien ni mal ; s'il est nécessaire, comme beaucoup d'honnêtes gens l'imaginent.

lui : Je n'entends pas grand-chose à tout ce que vous me débitez là. C'est apparemment de la philosophie[1] ; je vous préviens que je ne m'en mêle pas. Tout ce que je sais, c'est que je voudrais bien être un autre[2], au hasard d'être un homme de génie, un grand homme[3]. Oui, il faut que j'en convienne, il y a là quelque chose qui me le dit. Je n'en ai jamais entendu louer un seul que son éloge ne m'ait fait secrètement enrager. Je suis envieux. Lorsque j'apprends de leur vie privée quelque trait qui les dégrade, je l'écoute avec plaisir. Cela nous rapproche. J'en supporte plus aisément ma médiocrité[4]. Je me dis, Certes tu n'aurais jamais fait *Mahomet*[5] ; mais ni l'éloge du Maupeou[6]. J'ai donc été ; je suis donc fâché d'être médiocre. Oui, oui, je suis médiocre et fâché. Je n'ai jamais entendu jouer l'ouverture des *Indes galantes* ; jamais entendu chanter, *Profonds abîmes du Ténare, Nuit éternelle nuit*[7], sans me dire avec douleur ; Voilà ce que tu ne feras jamais.

J'étais donc jaloux de mon oncle; et s'il y avait eu à sa mort[1], quelques belles pièces de clavecin, dans son portefeuille, je n'aurais pas balancé à rester moi, et à être lui.

MOI : S'il n'y a que cela qui vous chagrine; cela n'en vaut pas trop la peine.

LUI : Ce n'est rien. Ce sont des moments qui passent.

Puis il se remettait à chanter l'ouverture des *Indes galantes*, et l'air *Profonds abîmes*; et il ajoutait.

LUI : Le quelque chose qui est là et qui me parle, me dit : Rameau, tu voudrais bien avoir fait ces deux morceaux-là; si tu avais fait ces deux morceaux-là, tu en ferais bien deux autres; et quand tu en aurais fait un certain nombre, on te jouerait, on te chanterait partout; quand tu marcherais, tu aurais la tête droite; la conscience te rendrait témoignage à toi-même de ton propre mérite; les autres, te désigneraient du doigt. On dirait, C'est lui qui a fait les jolies gavottes; et il chantait les gavottes[2], puis avec l'air d'un homme touché, qui nage dans la joie, et qui en a les yeux humides, il ajoutait, en se frottant les mains, Tu aurais une bonne maison, et il en mesurait l'étendue avec ses bras; un bon lit, et il s'y étendait nonchalamment; de bons vins, qu'il goûtait en faisant claquer sa langue contre son palais; un bon équipage, et il levait le pied pour y monter; de jolies femmes, à qui il prenait déjà la gorge et qu'il regardait voluptueusement; cent faquins me viendraient encenser tous les jours; et il croyait les voir autour de lui; il voyait Palissot, Poinsinet, les Frérons père et fils, La Porte[3]; il les entendait; il se rengorgeait, les approuvait, leur souriait, les dédaignait, les méprisait, les chassait, les rappelait; puis il continuait : Et c'est ainsi que l'on te dirait le matin que tu es un grand homme ; tu lirais dans l'histoire des *Trois Siècles*[1] que tu es un grand homme ; tu serais convaincu le soir que tu es un grand homme ; et le grand homme, Rameau le neveu, s'endormirait au doux murmure de l'éloge qui retentirait dans son oreille ; même en dormant, il aurait l'air satisfait ; sa poitrine se dilaterait, s'élèverait, s'abaisserait avec aisance ; il ronflerait, comme un grand homme ; et en parlant ainsi, il se laissait aller mollement sur une banquette ; il fermait les yeux, et il imitait le sommeil heureux qu'il imaginait. Après avoir goûté quelques instants la douceur de ce repos, il se réveillait, étendait ses bras, bâillait, se frottait les yeux, et cherchait encore autour de lui ses adulateurs insipides[2].

MOI : Vous croyez donc que l'homme heureux a son sommeil.

LUI : Si je le crois ! moi, pauvre hère, lorsque le soir j'ai regagné mon grenier et que je me suis fourré dans mon grabat. Je suis ratatiné sous ma couverture ; j'ai la poitrine étroite et la respiration gênée ; c'est une espèce de plainte faible qu'on entend à peine ; au lieu qu'un financier fait retentir son appartement, et étonne[3] toute sa rue. Mais ce qui m'afflige aujourd'hui, ce n'est pas de ronfler et de dormir mesquinement, comme un misérable[4].

MOI : Cela est pourtant triste.

LUI : Ce qui m'est arrivé l'est bien davantage.

MOI : Qu'est-ce donc ?

LUI : Vous avez toujours pris quelque intérêt à moi, parce que je suis un bon diable que vous méprisez dans le fond, mais qui vous amuse.

MOI : C'est la vérité.

LUI : Et je vais vous le dire.

Avant que de commencer, il pousse un profond soupir et porte ses deux mains à son front. Ensuite, il reprend un air tranquille, et me dit.

«Vous savez que je suis un ignorant, un sot, un fou, un impertinent, un paresseux, ce que nos Bourguignons appellent un fieffé truand, un escroc, un gourmand...»

MOI : Quel panégyrique!

LUI : Il est vrai de tout point. Il n'y en a pas un mot à rabattre. Point de contestation là-dessus, s'il vous plaît. Personne ne me connaît mieux que moi; et je ne dis pas tout.

MOI : Je ne veux point vous fâcher; et je conviendrai de tout.

LUI : Hé bien, je vivais avec des gens qui m'avaient pris en gré, précisément parce que j'étais doué, à un rare degré, de toutes ces qualités.

MOI : Cela est singulier. Jusqu'à présent j'avais cru ou qu'on se les cachait à soi-même, ou qu'on se les pardonnait, et qu'on les méprisait dans les autres.

LUI : Se les cacher, est-ce qu'on le peut? Soyez sûr que, quand Palissot est seul et qu'il revient sur lui-même, il se dit bien d'autre chose[a]. Soyez sûr qu'en tête à tête avec son collègue[1], ils s'avouent franchement qu'ils ne sont que deux insignes maroufles. Les mépriser dans les autres! mes gens étaient plus équitables, et leur caractère me réussissait merveilleusement auprès d'eux. J'étais comme un coq en pâte. On me fêtait. On ne me perdait pas un moment, sans me regretter. J'étais leur petit Rameau, leur joli Rameau, leur Rameau le fou, l'impertinent, l'ignorant, le paresseux, le gourmand, le

bouffon, la grosse bête. Il n'y avait pas une de ces
épithètes familières qui ne me valût un sourire, une
caresse, un petit coup sur l'épaule, un soufflet, un
coup de pied, à table un bon morceau qu'on me
jetait sur mon assiette. Hors de table une liberté que
je prenais sans conséquence; car moi, je suis sans
conséquence[1]. On fait de moi, avec moi, devant
moi, tout ce qu'on veut, sans que je m'en formalise;
et les petits présents qui me pleuvaient? Le grand
chien que je suis; j'ai tout perdu! J'ai tout perdu
pour avoir eu le sens commun, une fois, une seule
fois en ma vie; ah, si cela m'arrive jamais!

MOI : De quoi s'agissait-il donc?

LUI : C'est une sottise incomparable, incompréhensible, irrémissible.

MOI : Quelle sottise encore[a]?

LUI : Rameau, Rameau, vous avait-on pris pour
cela! La sottise d'avoir eu un peu de goût, un peu
d'esprit, un peu de raison. Rameau, mon ami, cela
vous apprendra à rester ce que Dieu vous fit et ce
que vos protecteurs vous voulaient. Aussi l'on vous
a pris par les épaules; on vous a conduit à la porte;
on vous a dit, Faquin, tirez[2]. Ne reparaissez plus.
Cela veut avoir du sens, de la raison, je crois! tirez.
Nous avons de ces qualités-là, de reste. Vous vous
en êtes allé en vous mordant les doigts; c'est votre
langue maudite qu'il fallait mordre auparavant.
Pour ne vous en être pas avisé, vous voilà sur le
pavé, sans le sol, et ne sachant où donner de la tête.
Vous étiez nourri à bouche que veux-tu, et vous
retournerez au regrat[3]; bien logé, et vous serez trop
heureux, si l'on vous rend votre grenier; bien couché, et la paille vous attend entre le cocher de M. de
Soubise[b] et l'ami Robé[c4]. Au lieu d'un sommeil doux

et tranquille, comme vous l'aviez ; vous entendrez d'une oreille le hennissement et le piétinement des chevaux ; de l'autre, le bruit mille fois plus insupportable des vers secs, durs et barbares. Malheureux, malavisé, possédé d'un million de diables !

MOI : Mais n'y aurait-il pas moyen de se rapatrier[1] ? La faute que vous avez commise est-elle si impardonnable ? à votre place, j'irais retrouver mes gens. Vous leur êtes plus nécessaire que vous ne croyez.

LUI : Ho, je suis sûr qu'à présent qu'ils ne m'ont pas, pour les faire rire, ils s'ennuient comme des chiens.

MOI : J'irais donc les retrouver. Je ne leur laisserais pas le temps de se passer de moi ; de se tourner vers quelque amusement honnête ; car qui sait ce qui peut arriver ?

LUI : Ce n'est pas là ce que je crains. Cela n'arrivera pas.

MOI : Quelque sublime que vous soyez, un autre peut vous remplacer.

LUI : Difficilement.

MOI : D'accord. Cependant j'irais avec ce visage défait, ces yeux égarés, ce col débraillé, ces cheveux ébouriffés, dans l'état vraiment tragique où vous voilà. Je me jetterais aux pieds de la divinité. Je me collerais la face contre terre ; et sans me relever, je lui dirais d'une voix basse et sanglotante ; Pardon, madame ! pardon ! je suis un indigne, un infâme. Ce fut un malheureux instant ; car vous savez que je ne suis pas sujet à avoir du sens commun, et je vous promets de n'en avoir de ma vie.

Ce qu'il y a de plaisant, c'est que, tandis que je lui tenais ce discours, il en exécutait la pantomime. Il s'était prosterné ; il avait collé son visage contre terre ; il paraissait tenir entre ses deux mains le bout d'une pantoufle ; il pleurait ; il sanglotait[1] ; il disait, «Oui, ma petite reine ; oui, je le promets ; je n'en aurai de ma vie, de ma vie». Puis se relevant brusquement, il ajouta d'un ton sérieux et réfléchi.

LUI : Oui ; vous avez raison. Je crois que c'est le mieux. Elle est bonne. M. Vieillard[a] dit qu'elle est si bonne[2]. Moi, je sais un peu qu'elle l'est. Mais cependant aller s'humilier devant une guenon ! crier miséricorde aux pieds d'une misérable petite histrionne que les sifflets du parterre ne cessent de poursuivre ! moi, Rameau ! fils de M. Rameau, apothicaire de Dijon[3], qui est un homme de bien et qui n'a jamais fléchi le genou devant qui que ce soit ! moi, Rameau, le neveu de celui qu'on appelle le grand Rameau, qu'on voit se promener droit et les bras en l'air, au Palais-Royal, depuis que M. Carmontelle l'a dessiné courbé, et les mains sous les basques de son habit[4] ! moi qui ai composé des pièces de clavecin que personne ne joue, mais qui seront peut-être les seules qui passeront à la postérité qui les jouera[5] ; moi ! moi enfin ! j'irais !... tenez, monsieur, cela ne se peut. Et mettant sa main droite sur sa poitrine, il ajoutait, Je me sens là quelque chose qui s'élève et qui me dit, Rameau, tu n'en feras rien. Il faut qu'il y ait une certaine dignité attachée à la nature de l'homme, que rien ne peut étouffer. Cela se réveille à propos de bottes. Oui, à propos de bottes. Car il y a d'autres jours où il ne m'en coûterait rien pour être vil tant qu'on voudrait ; ces jours-là, pour un liard, je baiserais le cul à la petite Hus.

MOI : Hé mais, l'ami ; elle est blanche, jolie, jeune,

douce, potelée ; et c'est un acte d'humilité auquel un plus délicat que vous pourrait quelquefois s'abaisser.

LUI : Entendons-nous ; c'est qu'il y a baiser le cul au simple, et baiser le cul au figuré. Demandez au gros Bergier qui baise le cul de Mme de La Marque[1] au simple et au figuré ; et ma foi, le simple et le figuré me déplairaient également là.

MOI : Si l'expédient que je vous suggère ne vous convient pas ; ayez donc le courage d'être gueux.

LUI : Il est dur d'être gueux, tandis qu'il y a tant de sots opulents aux dépens desquels on peut vivre. Et puis le mépris de soi ; il est insupportable.

MOI : Est-ce que vous connaissez ce sentiment-là !

LUI : Si je le connais ; combien de fois, je me suis dit ; Comment, Rameau, il y a dix mille bonnes tables à Paris, à quinze ou vingt couverts chacune ; et de ces couverts-là, il n'y en a pas un pour toi ! il y a des bourses pleines d'or qui se versent de droite et de gauche, et il n'en tombe pas une pièce sur toi ! mille petits beaux esprits, sans talent, sans mérite ; mille petites créatures sans charmes ; mille plats intrigants, sont bien vêtus, et tu irais tout nu ? et tu serais imbécile à ce point ? est-ce que tu ne saurais pas flatter comme un autre ? est-ce que tu ne saurais pas mentir, jurer, parjurer, promettre, tenir ou manquer comme un autre ? est-ce que tu ne saurais pas te mettre à quatre pattes, comme un autre ? est-ce que tu ne saurais pas favoriser l'intrigue de madame, et porter le billet doux de monsieur, comme un autre ? est-ce que tu ne saurais pas encourager ce jeune homme à parler à mademoiselle, et persuader à mademoiselle de l'écouter, comme un autre ? est-ce que tu ne saurais pas faire entendre à la fille d'un de nos bourgeois, qu'elle est mal mise ; que de belles

boucles d'oreilles, un peu de rouge, des dentelles,
une robe à la polonaise[1], lui siéraient à ravir? que
ces petits pieds-là ne sont pas faits pour marcher
dans la rue? qu'il y a un beau monsieur, jeune et
riche, qui a un habit galonné d'or, un superbe équipage, six grands laquais, qui l'a vue en passant, qui
la trouve charmante; et qui depuis ce jour-là en a
perdu le boire et le manger; qu'il n'en dort plus, et
qu'il en mourra? — Mais mon papa... — Bon, bon;
votre papa! il s'en fâchera d'abord un peu. — Et
maman qui me recommande tant d'être honnête
fille? qui me dit qu'il n'y a rien dans ce monde que
l'honneur? — Vieux propos qui ne signifient rien.
— Et mon confesseur? — Vous ne le verrez plus; ou
si vous persistez dans la fantaisie d'aller lui faire
l'histoire de vos amusements; il vous en coûtera
quelques livres de sucre et de café[2]. — C'est un
homme sévère qui m'a déjà refusé l'absolution, pour
la chanson, *Viens dans ma cellule*[3]. — C'est que
vous n'aviez rien à lui donner... mais quand vous lui
apparaîtrez en dentelles, ... — J'aurai donc des dentelles? — Sans doute, et de toutes les sortes; en
belles boucles de diamants, ... — J'aurai donc de
belles boucles de diamants... — Oui, ... — Comme
celles de cette marquise qui vient quelquefois prendre
des gants, dans notre boutique... — Précisément...
dans un bel équipage, avec des chevaux gris pom-
melés; deux grands laquais, un petit nègre[4], et le
coureur en avant, des rouges[a], des mouches, la queue
portée... — Au bal... — Au bal... à l'opéra, à la
comédie... Déjà le cœur lui tressaillit[b] de joie. Tu
joues avec un papier entre tes doigts. — Qu'est
cela? — Ce n'est rien. — Il me semble que si. —
C'est un billet. — Et pour qui? — Pour vous, si vous

étiez un peu curieuse. — Curieuse, je le suis beaucoup. Voyons. Elle lit. — Une entrevue, cela ne se
peut. — En allant à la messe. — Maman m'accompagne toujours; mais s'il venait ici, un peu matin; je
me lève la première; et je suis au comptoir, avant
qu'on soit levé. Il vient; il plaît; un beau jour, à la
brune, la petite disparaît, et l'on me compte mes
deux mille écus... et quoi tu possèdes ce talent-là; et
tu manques de pain! n'as-tu pas de honte, malheureux? Je me rappelais un tas de coquins, qui ne
m'allaient pas à la cheville et qui regorgeaient de
richesses. J'étais en surtout de baracan[1], et ils étaient
couverts de velours; ils s'appuyaient sur la canne à
pomme d'or et en bec de corbin; et ils avaient l'aristote, ou le platon au doigt[2]. Qu'étaient-ce pourtant?
La plupart de misérables croque-notes[3]; aujour-
d'hui ce sont des espèces de seigneurs. Alors je me
sentais du courage; l'âme élevée; l'esprit subtil, et
capable de tout. Mais ces heureuses dispositions
apparemment ne duraient pas; car jusqu'à présent,
je n'ai pu faire un certain chemin. Quoi qu'il en soit,
voilà le texte de mes fréquents soliloques que vous
pouvez paraphraser à votre fantaisie; pourvu que
vous en concluiez que je connais le mépris de soi-
même, ou ce tourment de la conscience qui naît de
l'inutilité des dons que le ciel nous a départis; c'est
le plus cruel de tous. Il vaudrait presque autant que
l'homme ne fût pas né.

Je l'écoutais; et à mesure qu'il faisait la scène du
proxénète et de la jeune fille qu'il séduisait; l'âme
agitée de deux mouvements opposés, je ne savais si
je m'abandonnerais à l'envie de rire, ou au transport de l'indignation. Je souffrais. Vingt fois un
éclat de rire empêcha ma colère d'éclater; vingt fois

la colère qui s'élevait au fond de mon cœur se termina par un éclat de rire. J'étais confondu de tant de sagacité, et de tant de bassesse; d'idées si justes et alternativement si fausses; d'une perversité si générale de sentiments, d'une turpitude si complète, et d'une franchise si peu commune. Il s'aperçut du conflit qui se passait en moi. «Qu'avez-vous?» me dit-il.

MOI : Rien.

LUI : Vous me paraissez troublé.

MOI : Je le suis aussi.

LUI : Mais enfin que me conseillez-vous?

MOI : De changer de propos. Ah, malheureux, dans quel état d'abjection[1], vous êtes né ou tombé.

LUI : J'en conviens. Mais cependant que mon état ne vous touche pas trop. Mon projet, en m'ouvrant à vous, n'était point de vous affliger. Je me suis fait chez ces gens, quelque épargne. Songez que je n'avais besoin de rien, mais de rien absolument; et que l'on m'accordait tant pour mes menus plaisirs[a2].

Alors il recommença à se frapper le front, avec un de ses poings, à se mordre la lèvre, et rouler au plafond ses yeux égarés; ajoutant, «Mais c'est une affaire faite. J'ai mis quelque chose de côté. Le temps s'est écoulé; et c'est toujours autant d'amassé».

MOI : Vous voulez dire de perdu.

LUI : Non, non, d'amassé. On s'enrichit à chaque instant. Un jour de moins à vivre, ou un écu de plus; c'est tout un. Le point important est d'aller aisément, librement, agréablement, copieusement, tous les soirs à la garde-robe; *o stercus pretiosum*[3]! voilà le grand résultat de la vie dans tous les états. Au dernier moment, tous sont également riches; et Samuel Bernard[4] qui à force de vols, de pillages, de

banqueroutes laisse vingt-sept millions en or, et
Rameau qui ne laissera rien ; Rameau à qui la charité fournira la serpillière dont on l'enveloppera. Le
mort n'entend pas sonner les cloches. C'est en vain
que cent prêtres s'égosillent pour lui ; qu'il est précédé et suivi d'une longue file de torches ardentes ;
son âme ne marche pas à côté du maître des céré-
monies. Pourrir sous du marbre, pourrir sous de la
terre, c'est toujours pourrir. Avoir autour de son
cercueil les enfants rouges, et les enfants bleus[1], ou
n'avoir personne, qu'est-ce que cela fait. Et puis
vous voyez bien ce poignet ; il était roide comme un
diable. Ces dix doigts, c'étaient autant de bâtons
fichés dans un métacarpe de bois ; et ces tendons,
c'étaient de vieilles cordes à boyau plus sèches, plus
roides ; plus inflexibles que celles qui ont servi à la
roue d'un tourneur[2]. Mais je vous les ai tant tour-
mentées, tant brisées, tant rompues. Tu ne veux pas
aller ; et moi, mordieu, je dis que tu iras ; et cela
sera.

Et tout en disant cela ; de la main droite, il s'était
saisi les doigts et le poignet de la main gauche ; et il
les renversait en dessus, en dessous ; l'extrémité des
doigts touchait au bras ; les jointures en craquaient ;
je craignais que les os n'en demeurassent disloqués.

MOI : Prenez garde, lui dis-je ; vous allez vous
estropier.

LUI : Ne craignez rien. Ils y sont faits ; depuis dix
ans, je leur en ai bien donné d'une autre façon.
Malgré qu'ils en eussent, il a bien fallu que les
bougres s'y accoutumassent, et qu'ils apprissent à
se placer sur les touches et à voltiger sur les cordes.
Aussi à présent cela va. Oui, cela va.

En même temps, il se met dans l'attitude d'un

joueur de violon; il fredonne de la voix un allegro
de Locatelli[1]; son bras droit imite le mouvement de
l'archet; sa main gauche et ses doigts semblent se
promener sur la longueur du manche; s'il fait un
ton faux, il s'arrête; il remonte ou baisse la corde; il
la pince de l'ongle, pour s'assurer qu'elle est juste;
il reprend le morceau où il l'a laissé; il bat la
mesure du pied; il se démène de la tête, des pieds,
des mains, des bras, du corps. Comme vous avez vu
quelquefois au Concert spirituel, Ferrari ou Chiabran[2], ou quelque autre virtuose, dans les mêmes
convulsions, m'offrant l'image du même supplice, et
me causant à peu près la même peine; car n'est-ce
pas une chose pénible à voir que le tourment, dans
celui qui s'occupe à me peindre le plaisir; tirez
entre cet homme et moi, un rideau qui me le cache,
s'il faut qu'il me montre un patient appliqué à la
question. Au milieu de ses agitations et de ses cris,
s'il se présentait une tenue, un de ces endroits har-
monieux où l'archet se meut lentement sur plusieurs cordes à la fois, son visage prenait l'air de
l'extase; sa voix s'adoucissait, il s'écoutait avec
ravissement. Il est sûr que les accords résonnaient
dans ses oreilles et dans les miennes. Puis remettant
son instrument, sous son bras gauche[3], de la même
main, dont il le tenait, et laissant tomber sa main
droite, avec son archet, «Hé bien, me disait-il, qu'en
pensez-vous?»

MOI: À merveilles.

LUI: Cela va, ce me semble; cela résonne à peu
près, comme les autres.

Et aussitôt, il s'accroupit, comme un musicien qui
se met au clavecin. «Je vous demande grâce, pour
vous et pour moi», lui dis-je.

LUI : Non, non; puisque je vous tiens, vous m'entendrez. Je ne veux point d'un suffrage qu'on m'accorde sans savoir pourquoi. Vous me louerez d'un ton plus assuré, et cela me vaudra quelque écolier.

MOI : Je suis si peu répandu; et vous allez vous fatiguer en pure perte.

LUI : Je ne me fatigue jamais.

Comme je vis que je voudrais inutilement avoir pitié de mon homme, car la sonate sur le violon l'avait mis tout en eau, je pris le parti de le laisser faire. Le voilà donc assis au clavecin; les jambes fléchies, la tête élevée vers le plafond où l'on eût dit qu'il voyait une partition notée, chantant, préludant, exécutant une pièce d'Alberti, ou de Galuppi[1], je ne sais lequel des deux. Sa voix allait comme le vent, et ses doigts voltigeaient sur les touches; tantôt laissant le dessus, pour prendre la basse; tantôt quittant la partie d'accompagnement, pour revenir au-dessus. Les passions se succédaient sur son visage. On y distinguait la tendresse, la colère, le plaisir, la douleur. On sentait les *piano*, les *forte*[2]. Et je suis sûr qu'un plus habile que moi, aurait reconnu le morceau, au mouvement, au caractère, à ses mines et à quelques traits de chant qui lui échappaient par intervalles. Mais ce qu'il y avait de bizarre, c'est que de temps en temps, il tâtonnait; se reprenait, comme s'il eût manqué et se dépitait de n'avoir plus la pièce dans les doigts. «Enfin vous voyez», dit-il, en se redressant et en essuyant les gouttes de sueur qui descendaient le long de ses joues, «que nous savons aussi placer un triton, une quinte superflue, et que l'enchaînement des dominantes nous est familier. Ces passages enharmoniques[3] dont le cher oncle a fait tant de train[a], ce n'est pas la mer à boire, nous nous en tirons. »

MOI : Vous vous êtes donné bien de la peine pour me montrer que vous étiez fort habile ; j'étais homme à vous croire sur votre parole.

LUI : Fort habile ? ho non ; pour mon métier, je le sais à peu près, et c'est plus qu'il ne faut. Car dans ce pays-ci est-ce qu'on est obligé de savoir ce qu'on montre ?

MOI : Pas plus que de savoir ce qu'on apprend.

LUI : Cela est juste, morbleu, et très juste. Là, monsieur le philosophe, la main sur la conscience ; parlez net. Il y eut un temps où vous n'étiez pas cossu comme aujourd'hui.

MOI : Je ne le suis pas encore trop.

LUI : Mais vous n'iriez plus au Luxembourg, en été, vous vous en souvenez[1].

MOI : Laissons cela ; oui, je m'en souviens.

LUI : En redingote de pluche[2] grise.

MOI : Oui, oui.

LUI : Éreintée par un des côtés ; avec la manchette déchirée, et les bas de laine, noirs et recousus par-derrière avec du fil blanc.

MOI : Et oui, oui ; tout comme il vous plaira.

LUI : Que faisiez-vous alors dans l'allée des soupirs[3] ?

MOI : Une assez triste figure.

LUI : Au sortir de là, vous trottiez sur le pavé.

MOI : D'accord.

LUI : Vous donniez des leçons de mathématiques.

MOI : Sans en savoir un mot ; n'est-ce pas là que vous en vouliez venir ?

LUI : Justement.

MOI : J'apprenais en montrant aux autres, et j'ai fait quelques bons écoliers.

LUI : Cela se peut, mais il n'en est pas de la musique comme de l'algèbre ou de la géométrie. Aujourd'hui que vous êtes un gros monsieur.

MOI : Pas si gros.

LUI : Que vous avez du foin dans vos bottes.

MOI : Très peu.

LUI : Vous donnez des maîtres à votre fille.

MOI : Pas encore. C'est sa mère qui se mêle de son éducation ; car il faut avoir la paix chez soi [1].

LUI : La paix chez soi ? morbleu, on ne l'a que quand on est le serviteur ou le maître ; et c'est le maître qu'il faut être. J'ai eu une femme [2] Dieu veuille avoir son âme ; mais quand il lui arrivait quelquefois de se rebéquer [3] ; je m'élevais sur mes ergots ; je déployais mon tonnerre ; je disais, comme Dieu, que la lumière se fasse et la lumière était faite. Aussi en quatre années de temps, nous n'avons pas eu dix fois un mot, l'un plus haut que l'autre. Quel âge a votre enfant ?

MOI : Cela ne fait rien à l'affaire.

LUI : Quel âge a votre enfant ?

MOI : Et que diable, laissons là mon enfant et son âge, et revenons aux maîtres qu'elle aura.

LUI : Pardieu, je ne sache rien de si têtu qu'un philosophe. En vous suppliant très humblement, ne pourrait-on savoir de monseigneur le philosophe, quel âge à peu près peut avoir mademoiselle sa fille.

MOI : Supposez-lui huit ans [4].

LUI : Huit ans ! il y a quatre ans que cela devrait avoir les doigts sur les touches.

MOI : Mais peut-être ne me soucié-je pas trop de

faire entrer dans le plan de son éducation, une étude qui occupe si longtemps et qui sert si peu.

LUI : Et que lui apprendrez-vous donc, s'il vous plaît.

MOI : À raisonner juste, si je puis, chose si peu commune parmi les hommes, et plus rare encore parmi les femmes.

LUI : Et laissez-la déraisonner, tant qu'elle voudra ; pourvu qu'elle soit jolie, amusante et coquette.

MOI : Puisque la nature a été assez ingrate envers elle pour lui donner une organisation délicate, avec une âme sensible, et l'exposer aux mêmes peines de la vie que si elle avait une organisation forte, et un cœur de bronze, je lui apprendrai, si je puis, à les supporter avec courage.

LUI : Et laissez-la pleurer, souffrir, minauder, avoir des nerfs agacés, comme les autres ; pourvu qu'elle soit jolie, amusante et coquette. Quoi, point de danse ?

MOI : Pas plus qu'il n'en faut pour faire une révérence, avoir un maintien décent, se bien présenter, et savoir marcher.

LUI : Point de chant ?

MOI : Pas plus qu'il n'en faut, pour bien prononcer.

LUI : Point de musique ?

MOI : S'il y avait un bon maître d'harmonie, je la lui confierais volontiers, deux heures par jour, pendant un ou deux ans ; pas davantage.

LUI : Et à la place des choses essentielles que vous supprimez ?

MOI : Je mets de la grammaire, de la fable[1], de l'histoire, de la géographie, un peu de dessin, et beaucoup de morale.

LUI : Combien il me serait facile de vous prouver

l'inutilité de toutes ces connaissances-là, dans un monde tel que le nôtre; que dis-je l'inutilité, peut-être le danger. Mais je m'en tiendrai pour ce moment à une question; ne lui faudra-t-il pas un ou deux maîtres?

MOI : Sans doute.

LUI : Ah, nous y revoilà. Et ces maîtres, vous espérez qu'ils sauront la grammaire, la fable, l'histoire, la géographie, la morale dont ils lui donneront des leçons? Chansons, mon cher maître; chansons. S'ils possédaient ces choses assez pour les montrer, ils ne les montreraient pas.

MOI : Et pourquoi?

LUI : C'est qu'ils auraient passé leur vie à les étudier. Il faut être profond dans l'art ou dans la science, pour en bien posséder les éléments[1]. Les ouvrages classiques ne peuvent être bien faits, que par ceux qui ont blanchi sous le harnois. C'est le milieu et la fin qui éclaircissent les ténèbres du commencement. Demandez à votre ami, M. d'Alembert, le coryphée de la science mathématique, s'il serait trop bon pour en faire des éléments. Ce n'est qu'après trente à quarante ans d'exercice que mon oncle a entrevu les premières lueurs de la théorie musicale.

MOI : Ô fou, archifou, m'écriai-je, comment se fait-il que dans ta mauvaise tête, il se trouve des idées si justes, pêle-mêle, avec tant d'extravagances.

LUI : Qui diable sait cela? C'est le hasard qui vous les jette, et elles demeurent. Tant y a, que, quand on ne sait pas tout, on ne sait rien de bien. On ignore où une chose va; d'où une autre vient; où celle-ci et celle-là veulent être placées; laquelle doit passer la première, ou sera mieux la seconde. Montre-t-on

bien sans la méthode ? et la méthode, d'où naît-elle ?
tenez, mon philosophe, j'ai dans la tête que la physique sera toujours une pauvre science ; une goutte
d'eau prise avec la pointe d'une aiguille dans le
vaste océan[1] ; un grain détaché de la chaîne des
Alpes ; et les raisons des phénomènes ? en vérité, il
vaudrait autant ignorer que de savoir si peu et si
mal ; et c'était précisément où j'en étais, lorsque je
me fis maître d'accompagnement et de composition. À quoi rêvez-vous ?

MOI : Je rêve que tout ce que vous venez de dire,
est plus spécieux que solide. Mais laissons cela.
Vous avez montré, dites-vous, l'accompagnement et
la composition ?

LUI : Oui.

MOI : Et vous n'en saviez rien du tout ?

LUI : Non, ma foi ; et c'est pour cela qu'il y en
avait de pires que moi ; ceux qui croyaient savoir
quelque chose. Au moins je ne gâtais ni le jugement
ni les mains des enfants. En passant de moi, à un
bon maître, comme ils n'avaient rien appris, du
moins ils n'avaient rien à désapprendre ; et c'était
toujours autant d'argent et de temps épargné.

MOI : Comment faisiez-vous ?

LUI : Comme ils font tous. J'arrivais. Je me jetais
dans une chaise... Que le temps est mauvais ! que le
pavé est fatigant ! Je bavardais quelques nouvelles.
Mlle Lemière devait faire un rôle de vestale dans
l'opéra nouveau, mais elle est grosse pour la seconde
fois. On ne sait qui la doublera. Mlle Arnould vient
de quitter son petit comte. On dit qu'elle est en
négociation avec Bertin. Le petit comte a pourtant
trouvé la porcelaine de M. de Montamy[2]. Il y avait
au dernier concert des amateurs, une Italienne qui

a chanté comme un ange. C'est un rare corps que ce Préville. Il faut le voir dans *Le Mercure galant*; l'endroit de l'énigme est impayable. Cette pauvre Du Mesni[1] ne sait plus ni ce qu'elle dit ni ce qu'elle fait. Allons, mademoiselle; prenez votre livre. Tandis que mademoiselle, qui ne se presse pas, cherche son livre qu'elle a égaré; qu'on appelle une femme de chambre; qu'on gronde. Je continue, La Clairon est vraiment incompréhensible[2]. On parle d'un mariage fort saugrenu. C'est celui de mademoiselle, comment l'appelez-vous? une petite créature qu'il entretenait, à qui il a fait deux ou trois enfants, qui avait été entretenue par tant d'autres. — Allons, Rameau; cela ne se peut. Vous radotez. — Je ne radote point. On dit même que la chose est faite. Le bruit court que De Voltaire est mort[3]. Tant mieux. — Et pourquoi tant mieux! — C'est qu'il va nous donner quelque bonne folie. C'est son usage que de mourir une quinzaine auparavant. Que vous dirai-je encore. Je disais quelques polissonneries, que je rapportais des maisons où j'avais été; car nous sommes tous, grands colporteurs[4]. Je faisais le fou. On m'écoutait. On riait. On s'écriait, Il est toujours charmant. Cependant le livre de mademoiselle s'était enfin retrouvé sous un fauteuil où il avait été traîné, mâchonné, déchiré, par un jeune doguin[5] ou par un petit chat. Elle se mettait à son clavecin. D'abord elle y faisait du bruit, toute seule. Ensuite, je m'approchais, après avoir fait à la mère un signe d'approbation. La mère, «Cela ne va pas mal; on n'aurait qu'à vouloir; mais on ne veut pas. On aime mieux perdre son temps à jaser, à chiffonner, à courir, à je ne sais quoi. Vous n'êtes pas sitôt parti que le livre est fermé, pour ne le rouvrir qu'à votre retour. Aussi vous ne la grondez jamais...» Cependant comme il fallait faire quelque chose, je lui prenais les mains que je lui plaçais autrement. Je me dépitais. Je criais «*sol, sol, sol*; mademoiselle, c'est un *sol*». La mère, «Mademoiselle, est-ce que vous n'avez point d'oreilles? moi qui ne suis pas au clavecin, et qui ne vois pas sur votre livre, je sens qu'il faut un *sol*. Vous donnez une peine infinie à monsieur. Je ne conçois pas sa patience. Vous ne retenez rien de ce qu'il vous dit. Vous n'avancez point...» Alors je rabattais[1] un peu les coups, et hochant de la tête, je disais, «Pardonnez-moi, madame; pardonnez-moi. Cela pourrait aller mieux, si mademoiselle voulait; si elle étudiait un peu; mais cela ne va pas mal». La mère, «À votre place, je la tiendrais un an sur la même pièce. — Ho pour cela, elle n'en sortira pas qu'elle ne soit au-dessus de toutes difficultés; et cela ne sera pas si long que madame le croit.» La mère: «Monsieur Rameau, vous la flattez; vous êtes trop bon. Voilà de sa leçon la seule chose qu'elle retiendra et qu'elle saura bien me répéter dans l'occasion.» L'heure se passait. Mon écolière me présentait le petit cachet, avec la grâce du bras et la révérence qu'elle avait apprise du maître à danser. Je le mettais dans ma poche, pendant que la mère disait: «Fort bien, mademoiselle. Si Javillier[2] était là, il vous applaudirait.» Je bavardais encore un moment par bienséance; je disparaissais ensuite, et voilà ce qu'on appelait alors une leçon d'accompagnement.

MOI : Et aujourd'hui, c'est donc autre chose?

LUI : Vertudieu, je le crois. J'arrive. Je suis grave. Je me hâte d'ôter mon manchon. J'ouvre le clavecin. J'essaie les touches. Je suis toujours pressé. Si l'on me fait attendre un moment, je crie comme si l'on me volait un écu. Dans une heure d'ici, il faut que je sois là; dans deux heures, chez madame la duchesse une telle. Je suis attendu à dîner chez une belle marquise; et au sortir de là, c'est un concert chez M. le baron de Bacq, rue Neuve-des-Petits-Champs[1].

MOI : Et cependant vous n'êtes attendu nulle part ?

LUI : Il est vrai.

MOI : Et pourquoi employer toutes ces petites viles ruses-là ?

LUI : Viles ? et pourquoi, s'il vous plaît. Elles sont d'usage dans mon état. Je ne m'avilis point en faisant comme tout le monde. Ce n'est pas moi qui les ai inventées; et je serais bizarre et maladroit de ne pas m'y conformer. Vraiment, je sais bien que si vous allez appliquer à cela certains principes généraux de je ne sais quelle morale qu'ils ont tous à la bouche, et qu'aucun d'eux ne pratique, il se trouvera que ce qui est blanc est noir, et que ce qui est noir sera blanc. Mais, monsieur le philosophe, il y a une conscience générale. Comme il y a une grammaire générale[2]; et puis des exceptions dans chaque langue que vous appelez, je crois, vous autres savants, des... aidez-moi donc... des...

MOI : Idiotismes[3].

LUI : Tout juste. Hé bien, chaque état a ses exceptions à la conscience générale auxquelles je donnerais volontiers le nom d'idiotismes de métier[4].

MOI : J'entends. Fontenelle parle bien, écrit bien, quoique son style fourmille d'idiotismes français.

LUI : Et le souverain, le ministre, le financier, le magistrat, le militaire, l'homme de lettres, l'avocat, le procureur, le commerçant, le banquier, l'artisan, le maître à chanter, le maître à danser, sont de fort honnêtes gens, quoique leur conduite s'écarte en plusieurs points de la conscience générale, et soit remplie d'idiotismes moraux. Plus l'institution des choses est ancienne, plus il y a d'idiotismes; plus les temps sont malheureux, plus les idiotismes se multiplient. Tant vaut l'homme, tant vaut le métier, et réciproquement, à la fin, tant vaut le métier, tant vaut l'homme. On fait donc valoir le métier tant qu'on peut.

MOI : Ce que je conçois clairement à tout cet entortillage[1], c'est qu'il y a peu de métiers honnêtement exercés, ou peu d'honnêtes gens dans leurs métiers.

LUI : Bon, il n'y en a point; mais en revanche, il y a peu de fripons hors de leur boutique; et tout irait assez bien, sans un certain nombre de gens qu'on appelle assidus, exacts, remplissant rigoureusement leurs devoirs, stricts, ou ce qui revient au même toujours dans leur boutique, et faisant leur métier depuis le matin jusqu'au soir, et ne faisant que cela. Aussi sont-ils les seuls qui deviennent opulents et qui soient estimés.

MOI : À force d'idiotismes.

LUI : C'est cela. Je vois que vous m'avez compris. Or donc un idiotisme de presque tous les états, car il y en a de communs à tous les pays, à tous les temps, comme il y a des sottises communes; un idiotisme commun est de se procurer le plus de pratiques que l'on peut; une sottise commune est de croire que le plus habile est celui qui en a le plus. Voilà deux exceptions à la conscience générale auxquelles il faut se plier. C'est une espèce de crédit. Ce n'est rien en soi; mais cela vaut par l'opinion. On a

dit que *bonne renommée valait mieux que ceinture
dorée*. Cependant qui a bonne renommée n'a pas
ceinture dorée ; et je vois qu'aujourd'hui qui a ceinture dorée ne manque guères de renommée. Il faut,
autant qu'il est possible, avoir le renom et la ceinture. Et c'est mon objet lorsque je me fais valoir par
ce que vous qualifiez d'adresses viles, d'indignes
petites ruses. Je donne ma leçon, et je la donne
bien ; voilà la règle générale. Je fais croire que j'en
ai plus à donner que la journée n'a d'heures. Voilà
l'idiotisme.

MOI : Et la leçon, vous la donnez bien.

LUI : Oui, pas mal, passablement. La basse fondamentale[1] du cher oncle a bien simplifié tout cela.
Autrefois je volais l'argent de mon écolier ; oui, je le
volais ; cela est sûr. Aujourd'hui, je le gagne, du
moins comme les autres.

MOI : Et le voliez-vous, sans remords ?

LUI : Ho, sans remords. On dit que *si un voleur
vole l'autre, le diable s'en rit*. Les parents regorgeaient d'une fortune acquise, Dieu sait comment ;
c'étaient des gens de cour, des financiers, de gros
commerçants, des banquiers, des gens d'affaires. Je
les aidais à restituer, moi, et une foule d'autres qu'ils
employaient comme moi. Dans la nature, toutes les
espèces se dévorent ; toutes les conditions se dévorent dans la société[2]. Nous faisons justice les uns
des autres, sans que la loi s'en mêle. La Deschamps,
autrefois ; aujourd'hui la Guimard[3] venge le prince
du financier ; et c'est la marchande de mode, le
bijoutier, le tapissier, la lingère, l'escroc, la femme
de chambre, le cuisinier, le bourrelier, qui vengent
le financier de la Deschamps. Au milieu de tout
cela, il n'y a que l'imbécile ou l'oisif qui soit lésé,

sans avoir vexé personne; et c'est fort bien fait.
D'où vous voyez que ces exceptions à la conscience
générale, ou ces idiotismes moraux dont on fait tant
de bruit, sous la dénomination de *tours du bâton*[1],
ne sont rien; et qu'à tout, il n'y a que le coup d'œil
qu'il faut avoir juste.

MOI : J'admire le vôtre.

LUI : Et puis la misère. La voix de la conscience,
et de l'honneur, est bien faible, lorsque les boyaux
crient. Suffit que si je deviens jamais riche, il faudra
bien que je restitue, et que je suis bien résolu à restituer de toutes les manières possibles, par la table,
par le jeu, par le vin, par les femmes.

MOI : Mais j'ai peur que vous ne deveniez jamais
riche.

LUI : Moi, j'en ai le soupçon.

MOI : Mais s'il en arrivait autrement, que feriez-
vous?

LUI : Je ferais comme tous les gueux revêtus[2]; je
serais le plus insolent maroufle qu'on eût encore vu.
C'est alors que je me rappellerais tout ce qu'ils
m'ont fait souffrir; et je leur rendrais bien les ava-
nies qu'ils m'ont faites. J'aime à commander, et je
commanderai. J'aime qu'on me loue et l'on me
louera. J'aurai à mes gages toute la troupe vilmorienne[a3]; et je leur dirai, comme on me l'a dit,
Allons faquins, qu'on m'amuse et l'on m'amusera;
qu'on me déchire les honnêtes gens et on les déchi-
rera, si l'on en trouve encore; et puis nous aurons
des filles; nous nous tutoierons, quand nous serons
ivres; nous nous enivrerons; nous ferons des contes[4];
nous aurons toutes sortes de travers et de vices[5].
Cela sera délicieux. Nous prouverons que De Voltaire est sans génie; que Buffon toujours guindé sur

des échasses, n'est qu'un déclamateur ampoulé ; que
Montesquieu n'est qu'un bel esprit ; nous relégue-
rons d'Alembert dans ses mathématiques ; nous
en donnerons sur dos et ventre à tous ces petits
Catons[1], comme vous, qui nous méprisent par envie ;
dont la modestie est le manteau[a] de l'orgueil, et dont
la sobriété est la loi du besoin. Et de la musique ?
c'est alors que nous en ferons.

MOI : Au digne emploi que vous feriez de la
richesse, je vois combien c'est grand dommage que
vous soyez gueux. Vous vivriez là d'une manière
bien honorable pour l'espèce humaine, bien utile à
vos concitoyens ; bien glorieuse pour vous.

LUI : Mais je crois que vous vous moquez de moi ;
monsieur le philosophe, vous ne savez pas à qui
vous vous jouez ; vous ne vous doutez pas que dans
ce moment je représente la partie la plus importante de la ville et de la cour. Nos opulents dans
tous les états ou se sont dit à eux-mêmes ou ne
se sont pas dit les mêmes choses que je vous ai
confiées ; mais le fait est que la vie que je mènerais
à leur place est exactement la leur. Voilà où vous en
êtes, vous autres. Vous croyez que le même bonheur
est fait pour tous. Quelle étrange vision ! Le vôtre
suppose un certain tour d'esprit romanesque que
nous n'avons pas, une âme singulière, un goût particulier. Vous décorez cette bizarrerie du nom de
vertu ; vous l'appelez philosophie. Mais la vertu, la
philosophie sont-elles faites pour tout le monde ? En
a qui peut. En conserve qui peut. Imaginez l'univers
sage et philosophe ; convenez qu'il serait diablement
triste. Tenez, vive la philosophie ; vive la sagesse de
Salomon. Boire de bon vin[b], se gorger de mets délicats ; se rouler sur de jolies femmes ; se reposer dans

des lits bien mollets; excepté cela, le reste n'est que vanité[1].

MOI: Quoi! défendre sa patrie?

LUI: Vanité. Il n'y a plus de patrie. Je ne vois d'un pôle à l'autre que des tyrans et des esclaves[2].

MOI: Servir ses amis?

LUI: Vanité. Est-ce qu'on a des amis? quand on en aurait, faudrait-il en faire des ingrats? regardez-y bien; et vous verrez que c'est presque toujours là ce qu'on recueille des services rendus. La reconnaissance est un fardeau; et tout fardeau est fait pour être secoué.

MOI: Avoir un état dans la société et en remplir les devoirs?

LUI: Vanité. Qu'importe qu'on ait un état, ou non; pourvu qu'on soit riche; puisqu'on ne prend un état que pour le devenir. Remplir ses devoirs, à quoi cela mène-t-il? à la jalousie, au trouble, à la persécution. Est-ce ainsi qu'on s'avance? faire sa cour, morbleu; faire sa cour; voir les grands; étudier leurs goûts; se prêter à leurs fantaisies; servir leurs vices; approuver leurs injustices. Voilà le secret.

MOI: Veiller à l'éducation de ses enfants?

LUI: Vanité. C'est l'affaire d'un précepteur.

MOI: Mais si ce précepteur, pénétré de vos principes, néglige ses devoirs; qui est-ce qui en sera châtié?

LUI: Ma foi, ce ne sera pas moi; mais peut-être un jour, le mari de ma fille, ou la femme de mon fils.

MOI: Mais si l'un et l'autre se précipitent dans la débauche et les vices?

LUI: Cela est de leur état.

MOI: S'ils se déshonorent?

LUI : Quoi qu'on fasse, on ne peut se déshonorer, quand on est riche.

MOI : S'ils se ruinent ?

LUI : Tant pis pour eux.

MOI : Je vois que, si vous vous dispensez de veiller à la conduite de votre femme, de vos enfants, de vos domestiques, vous pourriez aisément négliger vos affaires.

LUI : Pardonnez-moi ; il est quelquefois difficile de trouver de l'argent ; et il est prudent de s'y prendre de loin.

MOI : Vous donnerez peu de soin à votre femme.

LUI : Aucun, s'il vous plaît. Le meilleur procédé, je crois, qu'on puisse avoir avec sa chère moitié, c'est de faire ce qui lui convient. À votre avis, la société ne serait-elle pas fort amusante, si chacun y était à sa chose[1] ?

MOI : Pourquoi pas ? La soirée n'est jamais plus belle pour moi que quand je suis content de ma matinée.

LUI : Et pour moi aussi.

MOI : Ce qui rend les gens du monde si délicats sur leurs amusements, c'est leur profonde oisiveté.

LUI : Ne croyez pas cela. Ils s'agitent beaucoup.

MOI : Comme ils ne se lassent jamais, ils ne se délassent jamais.

LUI : Ne croyez pas cela. Ils sont sans cesse excédés.

MOI : Le plaisir est toujours une affaire pour eux, et jamais un besoin.

LUI : Tant mieux, le besoin est toujours une peine[2].

MOI : Ils usent tout. Leur âme s'hébète. L'ennui s'en empare. Celui qui leur ôterait la vie, au milieu de leur abondance accablante, les servirait. C'est qu'ils ne connaissent du bonheur que la partie qui

s'émousse le plus vite. Je ne méprise pas les plaisirs
des sens. J'ai un palais aussi, et il est flatté d'un
mets délicat, ou d'un vin délicieux. J'ai un cœur et
des yeux ; et j'aime à voir une jolie femme. J'aime à
sentir sous ma main la fermeté et la rondeur de sa
gorge ; à presser ses lèvres des miennes ; à puiser la
volupté dans ses regards, et à en expirer entre
ses bras. Quelquefois avec mes amis, une partie de
débauche, même un peu tumultueuse, ne me déplaît
pas[1]. Mais je ne vous le dissimulerai pas, il m'est
infiniment plus doux encore d'avoir secouru le malheureux, d'avoir terminé une affaire épineuse, donné
un conseil salutaire ; fait une lecture agréable ; une
promenade avec un homme ou une femme chère
à mon cœur ; passé quelques heures instructives
avec mes enfants, écrit une bonne page, rempli les
devoirs de mon état ; dit à celle que j'aime quelques
choses, tendres et douces qui amènent ses bras
autour de mon col. Je connais telle action que je
voudrais avoir faite pour tout ce que je possède.
C'est un sublime ouvrage que *Mahomet* ; j'aimerais
mieux avoir réhabilité la mémoire des Calas[2]. Un
homme de ma connaissance s'était réfugié à Carthagène. C'était un cadet de famille, dans un pays
où la coutume transfère tout le bien aux aînés. Là
il apprend que son aîné, enfant gâté, après avoir
dépouillé son père et sa mère, trop faciles, de tout
ce qu'ils possédaient, les avait expulsés de leur château, et que les bons vieillards languissaient indigents, dans une petite ville de la province. Que fait
alors ce cadet qui, traité durement par ses parents,
était allé tenter la fortune au loin ; il leur envoie des
secours ; il se hâte d'arranger ses affaires. Il revient
opulent. Il ramène son père et sa mère dans leur

domicile. Il marie ses sœurs. Ah, mon cher Rameau ;
cet homme regardait cet intervalle, comme le plus
heureux de sa vie. C'est les larmes aux yeux qu'il
m'en parlait ; et moi je sens en vous faisant ce récit,
mon cœur se troubler de joie, et le plaisir me cou-
per la parole[1].

LUI : Vous êtes des êtres bien singuliers !

MOI : Vous êtes des êtres bien à plaindre, si vous
n'imaginez pas qu'on s'est élevé au-dessus du sort,
et qu'il est impossible d'être malheureux, à l'abri de
deux belles actions, telles que celle-ci.

LUI : Voilà une espèce de félicité avec laquelle
j'aurai de la peine à me familiariser, car on la rencontre rarement. Mais à votre compte, il faudrait
donc être d'honnêtes gens.

MOI : Pour être heureux ? assurément[2].

LUI : Cependant, je vois une infinité d'honnêtes
gens qui ne sont pas heureux ; et une infinité de
gens qui sont heureux sans être honnêtes.

MOI : Il vous semble.

LUI : Et n'est-ce pas pour avoir eu du sens commun et de la franchise un moment, que je ne sais où
aller souper ce soir ?

MOI : Eh non, c'est pour n'en avoir pas toujours
eu. C'est pour n'avoir pas senti de bonne heure qu'il
fallait d'abord se faire une ressource indépendante
de la servitude.

LUI : Indépendante ou non, celle que je me suis
faite est au moins la plus aisée.

MOI : Et la moins sûre, et la moins honnête.

LUI : Mais la plus conforme à mon caractère de
fainéant, de sot, de vaurien.

MOI : D'accord.

LUI : Et que, puisque je puis faire mon bonheur

par des vices qui me sont naturels, que j'ai acquis sans travail, que je conserve sans effort, qui cadrent avec les mœurs de ma nation ; qui sont du goût de ceux qui me protègent, et plus analogues à leurs petits besoins particuliers que des vertus qui les gêneraient, en les accusant depuis le matin jusqu'au soir ; il serait bien singulier que j'allasse me tourmenter comme une âme damnée, pour me bistourner[1] et me faire autre que je ne suis ; pour me donner un caractère étranger au mien ; des qualités très estimables, j'y consens, pour ne pas disputer ; mais qui me coûteraient beaucoup à acquérir, à pratiquer, ne me mèneraient à rien, peut-être à pis que rien, par la satire continuelle des riches auprès desquels les gueux comme moi ont à chercher leur vie. On loue la vertu ; mais on la hait ; mais on la fuit ; mais elle gèle de froid ; et dans ce monde, il faut avoir les pieds chauds. Et puis cela me donnerait de l'humeur, infailliblement ; car pourquoi voyons-nous si fréquemment les dévots si durs, si fâcheux, si insociables[2] ? c'est qu'ils se sont imposé une tâche qui ne leur est pas naturelle. Ils souffrent, et quand on souffre, on fait souffrir les autres. Ce n'est pas là mon compte, ni celui de mes protecteurs ; il faut que je sois gai, souple, plaisant, bouffon, drôle. La vertu se fait respecter ; et le respect est incommode. La vertu se fait admirer, et l'admiration n'est pas amusante. J'ai à faire à des gens qui s'ennuient et il faut que je les fasse rire. Or c'est le ridicule et la folie qui font rire, il faut donc que je sois ridicule et fou ; et quand la nature ne m'aurait pas fait tel, le plus court serait de le paraître. Heureusement, je n'ai pas besoin d'être hypocrite ; il y en a déjà tant de toutes les couleurs, sans compter ceux qui le sont

avec eux-mêmes. Ce chevalier de La Morlière[1] qui
retape son chapeau sur son oreille, qui porte la tête
au vent, qui vous regarde le passant par-dessus
l'épaule, qui fait battre une longue épée sur sa cuisse ;
qui a l'insulte toute prête pour celui qui n'en porte
point, et qui semble adresser un défi à tout venant,
que fait-il ? tout ce qu'il peut pour se persuader qu'il
est un homme de cœur ; mais il est lâche. Offrez-lui
une croquignole sur le bout du nez, et il la recevra
en douceur. Voulez-vous lui faire baisser le ton, éle-
vez-le. Montrez-lui votre canne, ou appliquez votre
pied entre ses fesses ; tout étonné de se trouver un
lâche, il vous demandera qui est-ce qui vous l'a
appris ? d'où vous le savez ? Lui-même l'ignorait le
moment précédent ; une longue et habituelle singe-
rie de bravoure lui en avait imposé. Il avait tant fait
les mines, qu'il se croyait la chose[2]. Et cette femme
qui se mortifie, qui visite les prisons, qui assiste à
toutes les assemblées de charité, qui marche les
yeux baissés, qui n'oserait regarder un homme en
face, sans cesse en garde contre la séduction de ses
sens ; tout cela empêche-t-il que son cœur ne brûle,
que des soupirs ne lui échappent ; que son tempéra-
ment ne s'allume ; que les désirs ne l'obsèdent, et
que son imagination ne lui retrace la nuit et le jour,
les scènes du *Portier*, les postures de l'*Arétin*[3] ? alors
que devient-elle ? qu'en pense sa femme de chambre,
lorsqu'elle se lève en chemise, et qu'elle vole au
secours de sa maîtresse qui se meurt ? Justine[4], allez
vous recoucher. Ce n'est pas vous que votre maîtresse appelle dans son délire. Et l'ami Rameau, s'il
se mettait un jour à marquer du mépris pour la fortune, les femmes, la bonne chère, l'oisiveté, à catoniser[5], que serait-il ? un hypocrite. Il faut que Rameau

soit ce qu'il est; un brigand heureux avec des brigands opulents; et non un fanfaron de vertu, ou même un homme vertueux, rongeant sa croûte de pain, seul, ou à côté des gueux. Et pour le trancher net, je ne m'accommode point de votre félicité, ni du bonheur de quelques visionnaires, comme vous.

MOI : Je vois, mon cher, que vous ignorez ce que c'est, et que vous n'êtes pas même fait pour l'apprendre.

LUI : Tant mieux, mordieu; tant mieux. Cela me ferait crever de faim, d'ennui, et de remords peut-être.

MOI : D'après cela, le seul conseil que j'ai à vous donner, c'est de rentrer bien vite dans la maison d'où vous vous êtes imprudemment fait chasser.

LUI : Et de faire ce que vous ne désapprouvez pas au simple, et ce qui me répugne un peu au figuré.

MOI : C'est mon avis.

LUI : Indépendamment de cette métaphore qui me déplaît dans ce moment, et qui ne me déplaira pas dans un autre.

MOI : Quelle singularité!

LUI : Il n'y a rien de singulier à cela. Je veux bien être abject; mais je veux que ce soit sans contrainte. Je veux bien descendre de ma dignité... vous riez.

MOI : Oui, votre dignité me fait rire.

LUI : Chacun a la sienne; je veux bien oublier la mienne, mais à ma discrétion, et non à l'ordre d'autrui. Faut-il qu'on puisse me dire, Rampe, et que je sois obligé de ramper? C'est l'allure du ver; c'est mon allure; nous la suivons l'un et l'autre, quand on nous laisse aller; mais nous nous redressons, quand on nous marche sur la queue. On m'a marché sur la queue, et je me redresserai[1]. Et puis vous n'avez pas d'idée de la pétaudière[1] dont il s'agit. Imaginez un mélancolique et maussade person- nage, dévoré de vapeurs, enveloppé dans deux ou trois tours de robe de chambre ; qui se déplaît à lui- même, à qui tout déplaît ; qu'on fait à peine sourire, en se disloquant le corps et l'esprit, en cent manières diverses ; qui considère froidement les grimaces plai- santes de mon visage, et celles de mon jugement qui sont plus plaisantes encore ; car entre nous, ce père Noël[2], ce vilain bénédictin si renommé pour les gri- maces ; malgré ses succès à la cour, n'est, sans me vanter ni lui non plus, à comparaison de moi qu'un polichinelle de bois[3]. J'ai beau me tourmenter pour atteindre au sublime des petites-maisons[4] ; rien n'y fait. Rira-t-il ? ne rira-t-il pas ? voilà ce que je suis forcé de me dire au milieu de mes contorsions ; et vous pouvez juger combien cette incertitude nuit au talent. Mon hypocondre, la tête renfoncée dans un bonnet de nuit qui lui couvre les yeux, a l'air d'une pagode[5] immobile à laquelle on aurait attaché un fil au menton, d'où il descendrait jusque sous son fau- teuil. On attend que le fil se tire ; et il ne se tire point ; ou s'il arrive que la mâchoire s'entrouvre, c'est pour articuler un mot désolant, un mot qui vous apprend que vous n'avez point été aperçu, et que toutes vos singeries sont perdues ; ce mot est la réponse à une question que vous lui aurez faite il y a quatre jours ; ce mot dit, le ressort mastoïde se détend, et la mâchoire se referme[a].

Puis il se mit à contrefaire son homme ; il s'était placé dans une chaise, la tête fixe, le chapeau jusque sur ses paupières, les yeux à demi clos, les bras pen- dants, remuant sa mâchoire, comme un automate[6], et disant, « "Oui ; vous avez raison, mademoiselle. Il

faut mettre de la finesse là." C'est que cela décide;
que cela décide toujours, et sans appel, le soir, le
matin, à la toilette, à dîner, au café, au jeu, au
théâtre, à souper, au lit, et Dieu me le pardonne, je
crois entre les bras de sa maîtresse. Je ne suis pas à
portée d'entendre ces dernières décisions-ci; mais
je suis diablement las des autres. Triste, obscur, et
tranché, comme le destin; tel est notre patron.

«Vis-à-vis, c'est une bégueule qui joue l'importance; à qui l'on se résoudrait à dire qu'elle est jolie,
parce qu'elle l'est encore; quoiqu'elle ait sur le visage
quelques gales, par-ci par-là, et qu'elle courre après
le volume de Mme Bouvillon[1]. J'aime les chairs,
quand elles sont belles; mais aussi trop est trop; et
le mouvement est si essentiel à la matière[2]! *Item*[3],
elle est plus méchante, plus fière et plus bête qu'une
oie. *Item* elle veut avoir de l'esprit. *Item* il faut lui
persuader qu'on lui en croit comme à personne. *Item*
cela ne sait rien, et cela décide aussi. *Item* il faut
applaudir à ces décisions, des pieds et des mains,
sauter d'aise, se transir d'admiration, Que cela est
beau, délicat, bien dit, finement vu, singulièrement
senti. Où les femmes prennent-elles cela? Sans étude,
par la seule force de l'instinct, par la seule lumière
naturelle; cela tient du prodige[4]. Et puis qu'on vienne
nous dire que l'expérience, l'étude, la réflexion,
l'éducation y font quelque chose! et autres pareilles
sottises; et pleurer de joie. Dix fois dans la journée,
se courber, un genou fléchi en devant, l'autre jambe
tirée en arrière, les bras étendus vers la déesse,
chercher son désir dans ses yeux, rester suspendu
à sa lèvre, attendre son ordre et partir comme un
éclair. Qui est-ce qui peut s'assujettir à un rôle
pareil, si ce n'est le misérable qui trouve là, deux ou

trois fois la semaine, de quoi calmer la tribulation de ses intestins[1]? que penser des autres, tels que le Palissot, le Fréron, les Poinsinets, le Baculard[a] qui[2] ont quelque chose, et dont les bassesses ne peuvent s'excuser par le borborygme d'un estomac qui souffre?»

MOI : Je ne vous aurais jamais cru si difficile.

LUI : Je ne le suis pas. Au commencement je voyais faire les autres, et je faisais comme eux, même un peu mieux; parce que je suis plus franchement impudent, meilleur comédien, plus affamé, fourni de meilleurs poumons. Je descends apparemment en droite ligne du fameux Stentor[3].

Et pour me donner une juste idée de la force de ce viscère, il se mit à tousser d'une violence à ébranler les vitres du café, et à suspendre l'attention des joueurs d'échecs.

MOI : Mais à quoi bon ce talent?

LUI : Vous ne le devinez pas?

MOI : Non. Je suis un peu borné.

LUI : Supposez la dispute engagée et la victoire incertaine; je me lève, et déployant mon tonnerre, je dis : Cela est, comme mademoiselle l'assure. C'est là ce qui s'appelle juger. Je le donne en cent à tous nos beaux esprits. L'expression est de génie. Mais il ne faut pas toujours approuver de la même manière. On serait monotone. On aurait l'air faux. On deviendrait insipide. On ne se sauve de là que par du jugement, de la fécondité; il faut savoir préparer et placer ces tons majeurs et péremptoires, saisir l'occasion et le moment[4]; lors par exemple, qu'il y a partage entre les sentiments; que la dispute s'est élevée à son dernier degré de violence; qu'on ne s'entend plus; que tous parlent à la fois; il faut être placé à l'écart, dans l'angle de l'appartement le plus éloigné du champ de bataille, avoir préparé son explosion par un long silence, et tomber subitement comme une comminge, au milieu des contendants[1]. Personne n'a cet art comme moi. Mais où je suis surprenant, c'est dans l'opposé; j'ai des petits tons que j'accompagne d'un sourire; une variété infinie de mines approbatives; là le nez, la bouche, le front, les yeux entrent en jeu; j'ai une souplesse de reins; une manière de contourner l'épine du dos, de hausser ou de baisser les épaules, d'étendre les doigts, d'incliner la tête, de fermer les yeux, et d'être stupéfait, comme si j'avais entendu descendre du ciel une voix angélique et divine. C'est là ce qui flatte. Je ne sais si vous saisissez bien toute l'énergie de cette dernière attitude-là. Je ne l'ai point inventée; mais personne ne m'a surpassé dans l'exécution. Voyez. Voyez.

MOI : Il est vrai que cela est unique.

LUI : Croyez-vous qu'il y ait cervelle de femme un peu vaine qui tienne à cela...

MOI : Non. Il faut convenir que vous avez porté le talent de faire des fous[2], et de s'avilir, aussi loin qu'il est possible.

LUI : Ils auront beau faire, tous tant qu'ils sont; ils n'en viendront jamais là. Le meilleur d'entre eux, Palissot, par exemple, ne sera jamais qu'un bon écolier. Mais si ce rôle amuse d'abord, et si l'on goûte quelque plaisir à se moquer en dedans, de la bêtise de ceux qu'on enivre; à la longue cela ne pique plus; et puis après un certain nombre de découvertes, on est forcé de se répéter. L'esprit et l'art ont leurs limites. Il n'y a que Dieu ou quelques génies rares pour qui la carrière s'étend, à mesure qu'ils y avancent. Bouret en est un peut-être[1]. Il y a de celui-ci des traits qui m'en donnent, à moi, oui à moi-même, la plus sublime idée. Le petit chien, le livre de la félicité, les flambeaux sur la route de Versailles[2] sont de ces choses qui me confondent et m'humilient. Ce serait capable de dégoûter du métier.

MOI : Que voulez-vous dire avec votre petit chien ?

LUI : D'où venez-vous donc ? quoi, sérieusement vous ignorez comment cet homme rare s'y prit pour détacher de lui et attacher au garde des Sceaux un petit chien qui plaisait à celui-ci ?

MOI : Je l'ignore ; je le confesse.

LUI : Tant mieux. C'est une des plus belles choses qu'on ait imaginées ; toute l'Europe en a été émerveillée, et il n'y a pas un courtisan dont elle n'ait excité l'envie. Vous qui ne manquez pas de sagacité, voyons comment vous vous y seriez pris à sa place. Songez que Bouret était aimé de son chien. Songez que le vêtement bizarre du ministre effrayait le petit animal. Songez qu'il n'avait que huit jours pour vaincre les difficultés. Il faut connaître toutes les conditions du problème, pour bien sentir le mérite de la solution. Hé bien ?

MOI : Hé bien, il faut que je vous avoue que dans ce genre, les choses les plus faciles m'embarrasseraient.

LUI : Écoutez, me dit-il, en me frappant un petit coup sur l'épaule ; car il est familier ; écoutez et admirez. Il se fait faire un masque qui ressemble au garde des Sceaux ; il emprunte d'un valet de chambre la volumineuse simarre. Il se couvre le visage du masque. Il endosse la simarre. Il appelle son chien ; il le caresse. Il lui donne la gimblette[3]. Puis tout à coup, changeant de décoration, ce n'est plus le garde des Sceaux ; c'est Bouret qui appelle son chien et qui le fouette. En moins de deux ou trois jours de cet exercice continué du matin au soir, le chien sait fuir Bouret le fermier général, et courir à Bouret le garde des Sceaux. Mais je suis trop bon. Vous êtes un profane qui ne méritez pas d'être instruit des miracles qui s'opèrent à côté de vous.

MOI : Malgré cela je vous prie, le livre, les flambeaux.

LUI : Non, non. Adressez-vous aux pavés qui vous diront ces choses-là ; et profitez de la circonstance qui nous a rapprochés, pour apprendre des choses que personne ne sait que moi.

MOI : Vous avez raison.

LUI : Emprunter la robe et la perruque ; j'avais oublié, la perruque, du garde des Sceaux ! Se faire un masque qui lui ressemble ! Le masque surtout me tourne la tête. Aussi cet homme jouit-il de la plus haute considération. Aussi possède-t-il des millions. Il y a des croix de Saint-Louis qui n'ont pas de pain[1] ; aussi pourquoi courir après la croix, au hasard de se faire échiner ; et ne pas se tourner vers un état sans péril qui ne manque jamais sa récompense. Voilà ce qui s'appelle aller au grand[2]. Ces modèles-là sont décourageants. On a pitié de soi ; et l'on s'ennuie. Le masque ! Le masque ! Je donnerais un de mes doigts, pour avoir trouvé le masque.

MOI : Mais avec cet enthousiasme pour les belles choses, et cette fertilité de génie que vous possédez ; est-ce que vous n'avez rien inventé ?

LUI : Pardonnez-moi ; par exemple, l'attitude admirative du dos dont je vous ai parlé ; je la regarde comme mienne, quoiqu'elle puisse peut-être m'être contestée par des envieux. Je crois bien qu'on l'a employée auparavant ; mais qui est-ce qui a senti combien elle était commode pour rire en dessous de l'impertinent qu'on admirait[1]. J'ai plus de cent façons d'entamer la séduction d'une jeune fille, à côté de sa mère, sans que celle-ci s'en aperçoive, et même de la rendre complice. À peine entrais-je dans la carrière que je dédaignai toutes les manières vulgaires de glisser un billet doux. J'ai dix moyens de me le faire arracher, et parmi ces moyens, j'ose me flatter qu'il y en a de nouveaux. Je possède surtout le talent d'encourager un jeune homme timide ; j'en ai fait réussir qui n'avaient ni esprit ni figure. Si cela était écrit, je crois qu'on m'accorderait quelque génie.

MOI : Vous ferait un honneur singulier[a].

LUI : Je n'en doute pas.

MOI : À votre place, je jetterais ces choses-là sur le papier. Ce serait dommage qu'elles se perdissent.

LUI : Il est vrai ; mais vous ne soupçonnez pas combien je fais peu de cas de la méthode et des préceptes. Celui qui a besoin d'un protocole n'ira jamais loin. Les génies lisent peu, pratiquent beaucoup, et se font d'eux-mêmes. Voyez César, Turenne, Vauban, la marquise de Tencin, son frère le cardinal, et le secrétaire de celui-ci, l'abbé Trublet[2]. Et Bouret ? qui est-ce qui a donné des leçons à Bouret ? personne. C'est la nature qui forme ces hommes rares-là. Croyez-vous que l'histoire du chien et du masque soit écrite quelque part ?

MOI : Mais à vos heures perdues ; lorsque l'angoisse de votre estomac vide ou la fatigue de votre estomac surchargé éloigne le sommeil.

LUI : J'y penserai ; il vaut mieux écrire de grandes choses que d'en exécuter de petites. Alors l'âme s'élève ; l'imagination s'échauffe, s'enflamme et s'étend; au lieu qu'elle se rétrécit à s'étonner auprès de la petite Hus des applaudissements que ce sot public s'obstine à prodiguer à cette minaudière de Dangeville[1], qui joue si platement, qui marche presque courbée en deux sur la scène, qui a l'affectation de regarder sans cesse dans les yeux de celui à qui elle parle, et de jouer en dessous, et qui prend elle-même ses grimaces pour de la finesse, son petit trotter pour de la grâce; à cette emphatique Clairon qui est plus maigre, plus apprêtée, plus étudiée, plus empesée qu'on ne saurait dire. Cet imbécile parterre les claque à tout rompre, et ne s'aperçoit pas que nous sommes un peloton d'agréments; il est vrai que le peloton grossit un peu; mais qu'importe? que nous avons la plus belle peau; les plus beaux yeux, le plus joli bec; peu d'entrailles[2] à la vérité; une démarche qui n'est pas légère; mais qui n'est pas non plus aussi gauche qu'on le dit. Pour le sentiment, en revanche, il n'y en a aucune à qui nous ne damions le pion.

MOI: Comment dites-vous tout cela? est-ce ironie, ou vérité?

LUI: Le mal est que ce diable de sentiment est tout en dedans, et qu'il n'en transpire pas une lueur au-dehors. Mais moi qui vous parle, je sais et je sais bien qu'elle en a. Si ce n'est pas cela précisément, c'est quelque chose comme cela. Il faut voir, quand l'humeur nous prend, comme nous traitons les valets, comme les femmes de chambre sont souffletées, comme nous menons à grands coups de pied les parties casuelles[3], pour peu qu'elles s'écartent du respect qui nous est dû. C'est un petit diable, vous dis-je, tout plein de sentiment et de dignité... oh, ça; vous ne savez où vous en êtes, n'est-ce pas?

MOI : J'avoue que je ne saurais démêler si c'est de bonne foi ou méchamment que vous parlez. Je suis un bon homme ; ayez la bonté d'en user avec moi plus rondement ; et de laisser là votre art.

LUI : Cela, c'est ce que nous débitons à la petite Hus, de la Dangeville et de la Clairon, mêlé par-ci par-là de quelques mots qui vous donnassent l'éveil. Je consens que vous me preniez pour un vaurien ; mais non pour un sot ; et il n'y aurait qu'un sot ou un homme perdu d'amour qui pût dire sérieusement tant d'impertinences.

MOI : Mais comment se résout-on à les dire ?

LUI : Cela ne se fait pas tout d'un coup ; mais petit à petit, on y vient. *Ingenii largitor venter* [1].

MOI : Il faut être pressé d'une cruelle faim.

LUI : Cela se peut. Cependant quelque fortes qu'elles vous paraissent, croyez que ceux à qui elles s'adressent, sont plutôt accoutumés à les entendre que nous à les hasarder.

MOI : Est-ce qu'il y a là quelqu'un qui ait le courage d'être de votre avis ?

LUI : Qu'appelez-vous quelqu'un ? C'est le sentiment et le langage de toute la société.

MOI : Ceux d'entre vous qui ne sont pas de grands vauriens, doivent être de grands sots.

LUI : Des sots là ? Je vous jure qu'il n'y en a qu'un ; c'est celui qui nous fête, pour lui en imposer.

MOI : Mais comment s'en laisse-t-on si grossièrement imposer ? car enfin la supériorité des talents de la Dangeville et de la Clairon est décidée.

LUI : On avale à pleine gorgée le mensonge qui nous flatte ; et l'on boit goutte à goutte une vérité qui nous est amère ; et puis nous avons l'air si pénétré, si vrai.

MOI : Il faut cependant que vous ayez péché une fois contre les principes de l'art et qu'il vous soit échappé par mégarde quelques-unes de ces vérités amères qui blessent ; car en dépit du rôle misérable, abject, vil, abominable que vous faites, je crois qu'au fond vous avez l'âme délicate.

LUI : Moi, point du tout. Que le diable m'emporte si je sais au fond ce que je suis. En général, j'ai l'esprit rond comme une boule, et le caractère franc comme l'osier[1] ; jamais faux, pour peu que j'aie intérêt d'être vrai ; jamais vrai pour peu que j'aie intérêt d'être faux. Je dis les choses comme elles me viennent, sensées, tant mieux ; impertinentes, on n'y prend pas garde. J'use en plein de mon franc-parler. Je n'ai pensé de ma vie ni avant que de dire, ni en disant, ni après avoir dit. Aussi je n'offense personne.

MOI : Cela vous est pourtant arrivé avec les honnêtes gens chez qui vous viviez, et qui avaient pour vous tant de bontés.

LUI : Que voulez-vous ? c'est un malheur ; un mauvais moment ; comme il y en a dans la vie. Point de félicité continue ; j'étais trop bien, cela ne pouvait durer. Nous avons, comme vous savez, la compagnie la plus nombreuse et la mieux choisie. C'est une école d'humanité, le renouvellement de l'antique hospitalité. Tous les poètes qui tombent, nous les ramassons. Nous eûmes Palissot après sa *Zara* ; Bret, après *Le Faux Généreux*[2] ; tous les musiciens décriés ; tous les auteurs qu'on ne lit point ; toutes les actrices sifflées ; tous les acteurs hués ; un tas de pauvres honteux, plats parasites à la tête desquels j'ai l'honneur d'être, brave chef d'une troupe timide. C'est moi qui les exhorte à manger la première fois qu'ils viennent ; c'est moi qui demande à boire pour eux. Ils tiennent si peu de place ; quelques jeunes gens déguenillés qui ne savent où donner de la tête, mais qui ont de la figure, d'autres scélérats qui cajolent le patron et qui l'endorment, afin de glaner après lui sur la patronne. Nous paraissons gais[1] ; mais au fond nous avons tous de l'humeur et grand appétit. Des loups ne sont pas plus affamés ; des tigres ne sont pas plus cruels. Nous dévorons comme des loups, lorsque la terre a été longtemps couverte de neige ; nous déchirons comme des tigres, tout ce qui réussit. Quelquefois, les cohues[2] Bertin, Monsauge et Vilmorien se réunissent ; c'est alors qu'il se fait un beau bruit dans la ménagerie[3]. Jamais on ne vit ensemble tant de bêtes tristes, acariâtres, malfaisantes et courroucées. On n'entend que les noms de Buffon, de Duclos, de Montesquieu, de Rousseau, de De Voltaire, de d'Alembert, de Diderot, et Dieu sait de quelles épithètes ils sont accompagnés. Nul n'aura de l'esprit, s'il n'est aussi sot que nous[4]. C'est là que le plan de la comédie des *Philosophes* a été conçu ; la scène du colporteur, c'est moi qui l'ai fournie, d'après *La Théologie en quenouille*[5]. Vous n'êtes pas épargné là plus qu'un autre.

MOI : Tant mieux. Peut-être me fait-on plus d'honneur que je n'en mérite. Je serais humilié, si ceux qui disent du mal de tant d'habiles et honnêtes gens, s'avisaient de dire du bien de moi.

LUI : Nous sommes beaucoup, et il faut que chacun paye son écot. Après le sacrifice des grands animaux, nous immolons les autres.

MOI : Insulter la science et la vertu pour vivre, voilà du pain bien cher.

LUI : Je vous l'ai déjà dit, nous sommes sans conséquence. Nous injurions tout le monde, et nous n'affligeons personne. Nous avons quelquefois le pesant abbé d'Olivet, le gros abbé Le Blanc, l'hypocrite Batteux[1]. Le gros abbé n'est méchant qu'avant dîner. Son café pris, il se jette dans un fauteuil, les pieds appuyés contre la tablette de la cheminée, et s'endort comme un vieux perroquet sur son bâton. Si le vacarme devient violent ; il bâille ; il étend ses bras ; il frotte ses yeux, et dit : « Hé bien, qu'est-ce ? qu'est-ce ? — Il s'agit de savoir si Piron a plus d'esprit que De Voltaire. — Entendons-nous. C'est de l'esprit que vous dites ? il ne s'agit pas de goût ; car du goût, votre Piron ne s'en doute pas. — Ne s'en doute pas ? — Non. » Et puis nous voilà embarqués dans une dissertation sur le goût[2]. Alors le patron fait signe de la main qu'on l'écoute ; car c'est surtout de goût qu'il se pique. « Le goût, dit-il... le goût est une chose... » Ma foi, je ne sais quelle chose il disait que c'était ; ni lui, non plus.

Nous avons quelquefois l'ami Robé. Il nous régale de ses contes cyniques, des miracles des convulsionnaires dont il a été le témoin oculaire[3] ; et de quelques chants de son poème sur un sujet qu'il connaît à fond. Je hais ses vers ; mais j'aime à l'entendre réciter. Il a l'air d'un énergumène[4]. Tous s'écrient autour de lui ; « Voilà ce qu'on appelle un poète. » Entre nous, cette poésie-là n'est qu'un charivari de toutes sortes de bruits confus ; le ramage barbare des habitants de la tour de Babel.

Il nous vient aussi un certain niais qui a l'air plat et bête, mais qui a de l'esprit comme un démon et qui est plus malin qu'un vieux singe[5] ; c'est une de ces figures qui appellent la plaisanterie et les nasardes, et que Dieu fit pour la correction des gens qui jugent à la mine, et à qui leur miroir aurait dû apprendre qu'il est aussi aisé d'être un homme d'esprit et d'avoir l'air d'un sot que de cacher un sot sous une physionomie spirituelle. C'est une lâcheté bien commune que celle d'immoler un bon homme à l'amusement des autres. On ne manque jamais de s'adresser à celui-ci. C'est un piège que nous tendons aux nouveaux venus, et je n'en ai presque pas vu un seul qui n'y donnât.

J'étais quelquefois surpris de la justesse des observations de ce fou, sur les hommes et sur les caractères ; et je le lui témoignai.

«C'est, me répondit-il, qu'on tire parti de la mauvaise compagnie, comme du libertinage. On est dédommagé de la perte de son innocence, par celle de ses préjugés. Dans la société des méchants, où le vice se montre à masque levé, on apprend à les connaître ; et puis j'ai un peu lu.»

MOI : Qu'avez-vous lu ?

LUI : J'ai lu et je lis et relis sans cesse Théophraste, La Bruyère et Molière.

MOI : Ce sont d'excellents livres.

LUI : Ils sont bien meilleurs qu'on ne pense ; mais qui est-ce qui sait les lire ?

MOI : Tout le monde ; selon la mesure de son esprit.

LUI : Presque personne. Pourriez-vous me dire ce qu'on y cherche ?

MOI : L'amusement et l'instruction.

LUI : Mais quelle instruction ; car c'est là le point ?

MOI : La connaissance de ses devoirs ; l'amour de la vertu ; la haine du vice.

LUI : Moi, j'y recueille tout ce qu'il faut faire, et tout ce qu'il ne faut pas dire. Ainsi quand je lis *L'Avare* ; je me dis, Sois avare, si tu veux ; mais garde-toi de parler comme l'avare. Quand je lis *Le Tartuffe*; je me dis: Sois hypocrite, si tu veux; mais ne parle pas comme l'hypocrite[1]. Garde des vices qui te sont utiles; mais n'en aie ni le ton ni les apparences qui te rendraient ridicule. Pour se garantir de ce ton, de ces apparences, il faut les connaître; or ces auteurs en ont fait des peintures excellentes. Je suis moi et je reste ce que je suis; mais j'agis et je parle comme il convient. Je ne suis pas de ces gens qui méprisent les moralistes. Il y a beaucoup à profiter, surtout en ceux qui ont mis la morale en action. Le vice ne blesse les hommes que par intervalles. Les caractères apparents du vice les blessent du matin au soir. Peut-être vaudrait-il mieux être un insolent que d'en avoir la physionomie; l'insolent de caractère n'insulte que de temps en temps; l'insolent de physionomie insulte toujours. Au reste, n'allez pas imaginer que je sois le seul lecteur de mon espèce. Je n'ai d'autre mérite ici, que d'avoir fait par système, par justesse d'esprit, par une vue raisonnable et vraie ce que la plupart des autres font par instinct. De là vient que leurs lectures ne les rendent pas meilleurs que moi; mais qu'ils restent ridicules, en dépit d'eux; au lieu que je ne le suis que quand je veux, et que je les laisse alors loin derrière moi; car le même art qui m'apprend à me sauver du ridicule en certaines occasions, m'apprend aussi dans d'autres à l'attraper supérieurement. Je me rappelle alors tout ce que les autres ont dit, tout ce que j'ai lu, et j'y ajoute tout ce qui sort de mon fonds qui est en ce genre d'une fécondité surprenante.

MOI: Vous avez bien fait de me révéler ces mystères; sans quoi, je vous aurais cru en contradiction.

LUI : Je n'y suis point ; car pour une fois où il faut éviter le ridicule ; heureusement, il y en a cent où il faut s'en donner. Il n'y a point de meilleur rôle auprès des grands que celui de fou. Longtemps il y a eu le fou du roi en titre[1] ; en aucun, il n'y a eu en titre le sage du roi. Moi je suis le fou de Bertin et de beaucoup d'autres, le vôtre peut-être dans ce moment ; ou peut-être vous, le mien. Celui qui serait sage n'aurait point de fou. Celui donc qui a un fou n'est pas sage ; s'il n'est pas sage, il est fou ; et peut-être, fût-il roi, le fou de son fou[2]. Au reste, souvenez-vous que dans un sujet aussi variable que les mœurs, il n'y a d'absolument, d'essentiellement, de généralement vrai ou faux, sinon qu'il faut être ce que l'intérêt veut qu'on soit ; bon ou mauvais ; sage ou fou ; décent ou ridicule ; honnête ou vicieux. Si par hasard la vertu avait conduit à la fortune ; ou j'aurais été vertueux, ou j'aurais simulé la vertu comme un autre. On m'a voulu ridicule, et je me le suis fait ; pour vicieux, nature seule en avait fait les frais. Quand je dis vicieux, c'est pour parler votre langue ; car si nous venions à nous expliquer, il pourrait arriver que vous appelassiez vice ce que j'appelle vertu, et vertu ce que j'appelle vice.

Nous avons aussi les auteurs de l'Opéra-Comique, leurs acteurs, et leurs actrices ; et plus souvent leurs entrepreneurs Corby, Moette[3], tous gens de ressource et d'un mérite supérieur.

Et j'oubliais les grands critiques de la littérature. *L'Avant-Coureur*, les *Petites affiches*, *L'Année littéraire*, *L'Observateur littéraire*, *Le Censeur hebdomadaire*, toute la clique des feuillistes[4].

MOI : *L'Année littéraire* ; *L'Observateur littéraire*. Cela ne se peut. Ils se détestent[5].

lui : Il est vrai. Mais tous les gueux se réconci-
lient à la gamelle. Ce maudit *Observateur littéraire*.
Que le diable l'eût emporté, lui et ses feuilles. C'est
ce chien de petit prêtre avare, puant et usurier[1] qui
est la cause de mon désastre. Il parut sur notre hori-
zon, hier, pour la première fois. Il arriva à l'heure
qui nous chasse tous de nos repaires, l'heure du
dîner. Quand il fait mauvais temps, heureux celui
d'entre nous qui a la pièce de vingt-quatre sols dans
sa poche[2]. Tel s'est moqué de son confrère qui était
arrivé le matin crotté jusqu'à l'échine[3] et mouillé
jusqu'aux os, qui le soir rentre chez lui dans le
même état. Il y en eut un, je ne sais plus lequel, qui
eut, il y a quelques mois, un démêlé violent avec le
Savoyard[4] qui s'est établi à notre porte. Ils étaient
en compte courant ; le créancier voulait que son
débiteur se liquidât, et celui-ci n'était pas en fonds.
On sert ; on fait les honneurs de la table à l'abbé, on
le place au haut bout. J'entre, je l'aperçois. «Comment, l'abbé, lui dis-je, vous présidez ? voilà qui est
fort bien pour aujourd'hui ; mais demain, vous des-
cendrez, s'il vous plaît, d'une assiette, après-demain,
d'une autre assiette ; et ainsi d'assiette en assiette,
soit à droite, soit à gauche, jusqu'à ce que de la
place que j'ai occupée une fois avant vous, Fréron
une fois après moi, Dorat[5] une fois après Fréron ;
Palissot une fois après Dorat, vous deveniez station-
naire à côté de moi, pauvre plat bougre comme
vous, *qui siedo, sempre come^a un maestoso cazzo fra
due coglioni*[6].» L'abbé, qui est bon diable et qui
prend tout bien, se mit à rire. Mademoiselle, péné-
trée de la vérité de mon observation et de la justesse
de ma comparaison, se mit à rire ; tous ceux qui sié-
geaient à droite et à gauche de l'abbé et qu'il avait

reculés d'un cran, se mirent à rire ; tout le monde
rit, excepté monsieur qui se fâche et me tient des
propos qui n'auraient rien signifié, si nous avions
été seuls : « Rameau vous êtes un impertinent. — Je
le sais bien ; et c'est à cette condition que vous
m'avez reçu. — Un faquin. — Comme un autre. —
Un gueux. — Est-ce que je serais ici, sans cela. — Je
vous ferai chasser. — Après dîner, je m'en irai de
moi-même. — Je vous le conseille. » On dîna ; je n'en
perdis pas un coup de dent. Après avoir bien
mangé, bu largement ; car après tout il n'en aurait
été ni plus ni moins, messer Gaster[1] est un personnage contre lequel je n'ai jamais boudé ; je pris mon
parti et je me disposais à m'en aller. J'avais engagé
ma parole en présence de tant de monde qu'il fallait
bien la tenir. Je fus un temps considérable à rôder
dans l'appartement, cherchant ma canne et mon
chapeau où ils n'étaient pas, et comptant toujours
que le patron se répandrait dans un nouveau torrent
d'injures ; que quelqu'un s'interposerait, et que nous
finirions par nous raccommoder, à force de nous
fâcher. Je tournais ; je tournais ; car moi je n'avais
rien sur le cœur ; mais le patron, lui, plus sombre et
plus noir que l'Apollon d'Homère lorsqu'il décoche
ses traits sur l'armée des Grecs[2], son bonnet une
fois plus renfoncé que de coutume, se promenait en
long et en large, le poing sous le menton. Mademoiselle s'approche de moi. « Mais mademoiselle, qu'est-
ce qu'il y a donc d'extraordinaire, ai-je été différent
aujourd'hui de moi-même... — Je veux qu'il sorte.
— Je sortirai, je ne lui ai point manqué. — Pardonnez-moi ; on invite monsieur l'abbé, et... — C'est lui
qui s'est manqué à lui-même en invitant l'abbé, en
me recevant et avec moi tant d'autres bélîtres[3] tels

que moi. — Allons, mon petit Rameau; il faut
demander pardon à monsieur l'abbé. — Je n'ai que
faire de son pardon. — Allons; allons, tout cela
s'apaisera.» On me prend par la main, on m'entraîne vers le fauteuil de l'abbé; j'étends les bras, je
contemple l'abbé avec une espèce d'admiration, car
qui est-ce qui a jamais demandé pardon à l'abbé?
«L'abbé, lui dis-je; l'abbé, tout ceci est bien ridicule
n'est-il pas vrai?» Et puis je me mets à rire, et
l'abbé aussi. Me voilà donc excusé de ce côté-là;
mais il fallait aborder l'autre, et ce que j'avais à lui
dire était une autre paire de manches. Je ne sais
plus trop comment je tournai mon excuse... «Monsieur, voilà ce fou. — Il y a trop longtemps qu'il me
fait souffrir; je n'en veux plus entendre parler. — Il
est fâché. — Oui, je suis très fâché. — Cela ne lui
arrivera plus. — Qu'au premier faquin[1]...» Je ne
sais s'il était dans un de ces jours d'humeur où
mademoiselle craint d'en approcher et n'ose le toucher qu'avec ses mitaines de velours, ou s'il entendit
mal ce que je disais, ou si je dis mal; ce fut pis qu'auparavant. Que diable, est-ce qu'il ne me connaît
pas? est-ce qu'il ne sait pas que je suis comme les
enfants, et qu'il y a des circonstances où je laisse
tout aller sous moi? Et puis, je crois, Dieu me pardonne, que je n'aurai pas un moment de relâche. On
userait un pantin d'acier à tirer la ficelle du matin
au soir et du soir au matin. Il faut que je les désen-
nuie; c'est la condition; mais il faut que je m'amuse
quelquefois. Au milieu de cet imbroglio[2], il me passa
par la tête une pensée funeste, une pensée qui me
donna de la morgue, une pensée qui m'inspira de la
fierté et de l'insolence: c'est qu'on ne pouvait se
passer de moi, que j'étais un homme essentiel.

MOI : Oui, je crois que vous leur êtes très utile, mais qu'ils vous le sont encore davantage. Vous ne retrouverez pas, quand vous voudrez, une aussi bonne maison ; mais eux, pour un fou qui leur manque, ils en retrouveront cent.

LUI : Cent fous comme moi ! monsieur le philosophe, ils ne sont pas si communs. Oui des plats fous. On est plus difficile en sottise qu'en talent ou en vertu. Je suis rare dans mon espèce, oui, très rare. À présent qu'ils ne m'ont plus, que font-ils ? ils s'ennuient comme des chiens. Je suis un sac inépuisable d'impertinences. J'avais à chaque instant une boutade qui les faisait rire aux larmes, j'étais pour eux les petites-maisons tout entières.

MOI : Aussi vous aviez la table, le lit, l'habit, veste et culotte, les souliers, et la pistole par mois.

LUI : Voilà le beau côté. Voilà le bénéfice, mais les charges, vous n'en dites mot. D'abord, s'il était bruit d'une pièce nouvelle, quelque temps qu'il fît[1], il fallait fureter dans tous les greniers de Paris jusqu'à ce que j'en eusse trouvé l'auteur ; que je me procurasse la lecture de l'ouvrage, et que j'insinuasse adroitement qu'il y avait un rôle qui serait supérieurement rendu par quelqu'un de ma connaissance. — Et par qui, s'il vous plaît ? — Par qui ? belle question ! ce sont les grâces, la gentillesse, la finesse... — Vous voulez dire, Mlle Dangeville, par hasard la connaîtriez-vous ? — Oui, un peu ; mais ce n'est pas elle. — Et qui donc ? Je nommais tout bas. — Elle ! — Oui, elle, répétais-je un peu honteux. Car j'ai quelquefois de la pudeur ; et à ce nom répété, il fallait voir comme la physionomie du poète s'allongeait, et d'autres fois comme on m'éclatait au nez. Cependant, bon gré, mal gré qu'il en eût, il fallait que j'amenasse mon homme à dîner; et lui qui craignait de s'engager, rechignait, remerciait. Il fallait voir comme j'étais traité, quand je ne réussissais pas dans ma négociation, j'étais un butor, un sot, un balourd, je n'étais bon à rien, je ne valais pas le verre d'eau qu'on me donnait à boire. C'était bien pis lorsqu'on jouait, et qu'il fallait aller intrépidement, au milieu des huées d'un public qui juge bien, quoi qu'on en dise, faire entendre mes claquements de mains isolés; attacher les regards sur moi; quelquefois dérober les sifflets à l'actrice; et ouïr chuchoter à côté de soi: C'est un des valets déguisés de celui qui couche; ce maraud-là se taira-t-il? On ignore ce qui peut déterminer à cela, on croit que c'est ineptie, tandis que c'est un motif qui excuse tout.

MOI: Jusqu'à l'infraction des lois civiles[1].

LUI: À la fin cependant j'étais connu, et l'on disait, Oh, c'est Rameau. Ma ressource était de jeter quelques mots ironiques qui sauvassent du ridicule mon applaudissement solitaire, qu'on interprétait à contresens. Convenez qu'il faut un puissant intérêt pour braver ainsi le public assemblé, et que chacune de ces corvées valait mieux qu'un petit écu.

MOI: Que ne vous faisiez-vous prêter main-forte?

LUI: Cela m'arrivait aussi, et je glanais un peu là-dessus. Avant que de se rendre au lieu du supplice, il fallait se charger la mémoire des endroits brillants, où il importait de donner le ton. S'il m'arrivait de les oublier et de me méprendre, j'en avais le tremblement à mon retour; c'était un vacarme dont vous n'avez pas d'idée. Et puis à la maison une meute de chiens à soigner; il est vrai que je m'étais sottement imposé cette tâche; des chats dont j'avais la surin-

tendance[1] ; j'étais trop heureux si *Micou* me favori-
sait d'un coup de griffe qui déchirât ma manchette
ou ma main. *Criquette* est sujette à la colique ; c'est
moi qui lui frotte le ventre. Autrefois, mademoiselle
avait des vapeurs ; ce sont aujourd'hui des nerfs. Je
ne parle point d'autres indispositions légères dont
on ne se gêne pas devant moi. Pour ceci, passe ; je
n'ai jamais prétendu contraindre. J'ai lu, je ne sais
où, qu'un prince surnommé le grand restait quelquefois appuyé sur le dossier de la chaise percée de
sa maîtresse[2]. On en use à son aise avec ses familiers, et j'en étais ces jours-là, plus que personne. Je
suis l'apôtre de la familiarité et de l'aisance[3]. Je les
prêchais là d'exemple, sans qu'on s'en formalisât ; il
n'y avait qu'à me laisser aller. Je vous ai ébauché le
patron. Mademoiselle commence à devenir pesante ;
il faut entendre les bons contes qu'ils en font.

MOI : Vous n'êtes pas de ces gens-là.

LUI : Pourquoi non ?

MOI : C'est qu'il est au moins indécent de donner
des ridicules à ses bienfaiteurs.

LUI : Mais n'est-ce pas pis encore de s'autoriser de
ses bienfaits pour avilir son protégé ?

MOI : Mais si le protégé n'était pas vil par lui-même,
rien ne donnerait au protecteur cette autorité[4].

LUI : Mais si les personnages n'étaient pas ridicules par eux-mêmes, on n'en ferait pas de bons
contes. Et puis est-ce ma faute s'ils s'encanaillent ?
est-ce ma faute, lorsqu'ils se sont encanaillés, si on
les trahit, si on les bafoue ? quand on se résout à
vivre avec des gens comme nous, et qu'on a le sens
commun, il y a je ne sais combien de noirceurs auxquelles il faut s'attendre. Quand on nous prend, ne
nous connaît-on pas pour ce que nous sommes,

pour des âmes intéressées, viles et perfides ? Si l'on
nous connaît, tout est bien. Il y a un pacte tacite
qu'on nous fera du bien, et que tôt ou tard nous ren-
drons le mal pour le bien qu'on nous aura fait. Ce
pacte ne subsiste-t-il pas entre l'homme et son singe
ou son perroquet ? Brun[1] jette les hauts cris que
Palissot, son convive et son ami, ait fait des couplets
contre lui. Palissot a dû faire les couplets, et c'est
Brun qui a tort. Poinsinet jette les hauts cris que
Palissot ait mis sur son compte les couplets qu'il
avait faits contre Brun. Palissot a dû mettre sur le
compte de Poinsinet les couplets qu'il avait faits
contre Brun ; et c'est Poinsinet qui a tort. Le petit
abbé Rey[2] jette les hauts cris de ce que son ami
Palissot lui a soufflé sa maîtresse auprès de laquelle
il l'avait introduit. C'est qu'il ne fallait point intro-
duire un Palissot chez sa maîtresse, ou se résoudre
à la perdre. Palissot a fait son devoir ; et c'est l'abbé
Rey qui a tort. Le libraire David[3] jette les hauts cris
de ce que son associé Palissot a couché ou voulu
coucher avec sa femme ; la femme du libraire David
jette les hauts cris de ce que Palissot a laissé croire
à qui l'a voulu qu'il avait couché avec elle ; que
Palissot ait couché ou non avec la femme du libraire,
ce qui est difficile à décider, car la femme a dû nier
ce qui était, et Palissot a pu laisser croire ce qui
n'était pas. Quoi qu'il en soit, Palissot a fait son rôle,
et c'est David et sa femme qui ont tort. Qu'Helvétius
jette les hauts cris que Palissot le traduise sur la
scène comme un malhonnête homme[4], lui à qui il
doit encore l'argent qu'il lui prêta pour se faire trai-
ter de la mauvaise santé, se nourrir et se vêtir. A-t-il
dû se promettre un autre procédé, de la part d'un
homme souillé de toutes sortes d'infamies, qui par

passe-temps fait abjurer la religion à son ami[1] ; qui s'empare du bien de ses associés ; qui n'a ni foi, ni loi, ni sentiment ; qui court à la fortune, *per fas et nefas* ; qui compte ses jours par ses scélératesses ; et qui s'est traduit lui-même sur la scène[2] comme un des plus dangereux coquins, impudence dont je ne crois pas qu'il y ait eu dans le passé un premier exemple, ni qu'il y en ait un second dans l'avenir. Non. Ce n'est donc pas Palissot, mais c'est Helvétius qui a tort. Si l'on mène un jeune provincial à la ménagerie de Versailles, et qu'il s'avise par sottise, de passer la main à travers les barreaux de la loge du tigre ou de la panthère ; si le jeune homme laisse son bras dans la gueule de l'animal féroce ; qui est-ce qui a tort ? Tout cela est écrit dans le pacte tacite[3]. Tant pis pour celui qui l'ignore ou l'oublie. Combien je justifierais par ce pacte universel et sacré, de gens qu'on accuse de méchanceté ; tandis que c'est soi qu'on devrait accuser de sottise. Oui, grosse comtesse[a][4] ; c'est vous qui avez tort, lorsque vous rassemblez autour de vous, ce qu'on appelle parmi les gens de votre sorte, des espèces[5], et que ces espèces vous font des vilenies, vous en font faire, et vous exposent au ressentiment des honnêtes gens. Les honnêtes gens font ce qu'ils doivent ; les espèces aussi ; et c'est vous qui avez tort de les accueillir. Si Bertinhus[b][6] vivait doucement, paisiblement avec sa maîtresse ; si par l'honnêteté de leurs caractères, ils s'étaient fait des connaissances honnêtes ; s'ils avaient appelé autour d'eux des hommes à talents, des gens connus dans la société par leur vertu ; s'ils avaient réservé pour une petite compagnie éclairée et choisie, les heures de distraction qu'ils auraient dérobées à la douceur d'être ensemble, de s'aimer, de se le dire, dans le silence de la retraite ; croyez-vous qu'on en eût fait ni bons ni mauvais contes. Que leur est-il donc arrivé ? ce qu'ils méritaient. Ils ont été punis de leur imprudence ; et c'est nous que la Providence avait destinés de toute éternité à faire justice des Bertins du jour ; et ce sont nos pareils d'entre nos neveux qu'elle a destinés à faire justice des Monsauges[1] et des Bertins à venir. Mais tandis que nous exécutons ses justes décrets sur la sottise, vous qui nous peignez tels que nous sommes, vous exécutez ses justes décrets sur nous. Que penseriez-vous de nous, si nous prétendions avec des mœurs honteuses, jouir de la considération publique ; que nous sommes des insensés. Et ceux qui s'attendent à des procédés honnêtes, de la part de gens nés vicieux, de caractères vils et bas, sont-ils sages ? Tout a son vrai loyer dans ce monde. Il y a deux procureurs généraux, l'un à votre porte qui châtie les délits contre la société. La nature est l'autre. Celle-ci connaît de tous les vices qui échappent aux lois. Vous vous livrez à la débauche des femmes ; vous serez hydropique. Vous êtes crapuleux ; vous serez poumonique. Vous ouvrez votre porte à des marauds, et vous vivez avec eux ; vous serez trahis, persiflés[2], méprisés. Le plus court est de se résigner à l'équité de ces jugements ; et de se dire à soi-même, C'est bien fait, de secouer ses oreilles, et de s'amender ou de rester ce qu'on est, mais aux conditions susdites.

MOI : Vous avez raison.

LUI : Au demeurant, de ces mauvais contes, moi, je n'en invente aucun ; je m'en tiens au rôle de colporteur[3]. Ils disent qu'il y a quelques jours[4], sur les 5 heures du matin, on entendit un vacarme enragé ; toutes les sonnettes étaient en branle ; c'étaient les

cris interrompus et sourds d'un homme qui étouffe ;
«À moi, moi ; je suffoque ; je meurs». Ces cris par-
taient de l'appartement du patron. On arrive ; on le
secourt. Notre grosse créature dont la tête était éga-
rée, qui n'y était plus, qui ne voyait plus, comme il
arrive dans ce moment, continuait de presser son
mouvement, s'élevait sur ses deux mains, et du plus
haut qu'elle pouvait laissait retomber sur les parties
casuelles un poids de deux à trois cents livres,
animé de toute la vitesse que donne la fureur du
plaisir. On eut beaucoup de peine à le dégager de là.
Que diable de fantaisie à un petit marteau de se placer sous une lourde enclume[1].

MOI : Vous êtes un polisson. Parlons d'autre chose.
Depuis que nous causons, j'ai une question sur la
lèvre.

LUI : Pourquoi l'avoir arrêtée là si longtemps ?

MOI : C'est que j'ai craint qu'elle ne fût indiscrète.

LUI : Après ce que je viens de vous révéler, j'ignore
quel secret je puis avoir pour vous.

MOI : Vous ne doutez pas du jugement que je
porte de votre caractère.

LUI : Nullement. Je suis à vos yeux un être très
abject, très méprisable ; et je le suis aussi quelquefois aux miens ; mais rarement. Je me félicite plus
souvent de mes vices que je ne m'en blâme. Vous
êtes plus constant dans votre mépris.

MOI : Il est vrai ; mais pourquoi me montrer toute
votre turpitude ?

LUI : D'abord, c'est que vous en connaissiez une
bonne partie, et que je voyais plus à gagner qu'à
perdre, à vous avouer le reste.

MOI : Comment cela, s'il vous plaît ?

LUI : S'il importe d'être sublime en quelque genre,

c'est surtout en mal. On crache sur un petit filou ; mais on ne peut refuser une sorte de considération à un grand criminel. Son courage vous étonne. Son atrocité vous fait frémir. On prise en tout l'unité de caractère[1].

MOI : Mais cette estimable unité de caractère, vous ne l'avez pas encore. Je vous trouve de temps en temps vacillant dans vos principes. Il est incertain, si vous tenez votre méchanceté de la nature ou de l'étude ; et si l'étude vous a porté aussi loin qu'il est possible.

LUI : J'en conviens ; mais j'y ai fait de mon mieux. N'ai-je pas eu la modestie de reconnaître des êtres plus parfaits que moi ? ne vous ai-je pas parlé de Bouret avec l'admiration la plus profonde ? Bouret est le premier homme du monde dans mon esprit.

MOI : Mais immédiatement après Bouret ; c'est vous.

LUI : Non.

MOI : C'est donc Palissot ?

LUI : C'est Palissot, mais ce n'est pas Palissot seul.

MOI : Et qui peut être digne de partager le second rang avec lui ?

LUI : Le renégat d'Avignon[2].

MOI : Je n'ai jamais entendu parler de ce renégat d'Avignon ; mais ce doit être un homme bien étonnant.

LUI : Aussi l'est-il.

MOI : L'histoire des grands personnages m'a toujours intéressé.

LUI : Je le crois bien. Celui-ci vivait chez un bon et honnête de ces descendants d'Abraham, promis au père des croyants, en nombre égal à celui des étoiles[3].

MOI : Chez un juif ?

LUI : Chez un juif. Il en avait surpris d'abord la commisération, ensuite la bienveillance, enfin la confiance la plus entière. Car voilà comme il en arrive toujours. Nous comptons tellement sur nos bienfaits, qu'il est rare que nous cachions notre secret, à celui que nous avons comblé de nos bontés. Le moyen qu'il n'y ait pas des ingrats ; quand nous exposons l'homme, à la tentation de l'être impunément. C'est une réflexion juste que notre juif ne fit pas. Il confia donc au renégat qu'il ne pouvait en conscience manger du cochon. Vous allez voir tout le parti qu'un esprit fécond sut tirer de cet aveu. Quelques mois se passèrent pendant lesquels notre renégat redoubla d'attachement. Quand il crut son juif bien touché, bien captivé, bien convaincu par ses soins, qu'il n'avait pas un meilleur ami dans toutes les tribus d'Israël, admirez la circonspection de cet homme. Il ne se hâte pas. Il laisse mûrir la poire, avant que de secouer la branche. Trop d'ardeur pouvait faire échouer son projet. C'est qu'ordinairement la grandeur de caractère résulte de la balance naturelle de plusieurs qualités opposées.

MOI : Et laissez là vos réflexions, et continuez-moi votre histoire.

LUI : Cela ne se peut. Il y a des jours où il faut que je réfléchisse. C'est une maladie qu'il faut abandonner à son cours. Où en étais-je ?

MOI : À l'intimité bien établie, entre le juif et le renégat.

LUI : Alors la poire était mûre... mais vous ne m'écoutez pas. À quoi rêvez-vous ?

MOI : Je rêve à l'inégalité[1] de votre ton ; tantôt haut, tantôt bas.

LUI : Est-ce que le ton de l'homme vicieux peut être un ? Il arrive un soir chez son bon ami, l'air effaré, la voix entrecoupée, le visage pâle comme la mort, tremblant de tous ses membres. «Qu'avez-vous ? — Nous sommes perdus. — Perdus, et comment... — Perdus, vous dis-je ; perdus sans ressource. — Expliquez-vous. — Un moment, que je me remette de mon effroi. — Allons remettez-vous», lui dit le juif ; au lieu de lui dire, Tu es un fieffé fripon ; je ne sais ce que tu as à m'apprendre, mais tu es un fieffé fripon ; tu joues la terreur.

MOI : Et pourquoi devait-il lui parler ainsi ?

LUI : C'est qu'il était faux, et qu'il avait passé la mesure. Cela est clair pour moi, et ne m'interrompez pas davantage. «Nous sommes perdus, perdus sans ressource.» Est-ce que vous ne sentez pas l'affectation de ces «perdus» répétés. «Un traître nous a déférés à la sainte Inquisition, vous comme juif, moi comme renégat, comme un infâme renégat.» Voyez comme le traître ne rougit pas de se servir des expressions les plus odieuses. Il faut plus de courage qu'on ne pense pour s'appeler de son nom. Vous ne savez pas ce qu'il en coûte pour en venir là.

MOI : Non certes. Mais cet infâme renégat...

LUI : Est faux ; mais c'est une fausseté bien adroite. Le juif s'effraye, il s'arrache la barbe, il se roule à terre. Il voit les sbires à sa porte ; il se voit affublé du san-benito[1] ; il voit son autodafé préparé. «Mon ami, mon tendre ami, mon unique ami, quel parti prendre... — Quel parti ? de se montrer, d'affecter la plus grande sécurité, de se conduire comme à l'ordinaire. La procédure de ce tribunal est secrète ; mais lente. Il faut user de ses délais pour tout vendre. J'irai louer ou je ferai louer un bâtiment par un tiers; oui, par un tiers, ce sera le mieux. Nous y déposerons votre fortune; car c'est à votre fortune principalement qu'ils en veulent; et nous irons, vous et moi, chercher sous un autre ciel, la liberté de servir notre Dieu et de suivre en sûreté la loi d'Abraham et de notre conscience. Le point important dans la circonstance périlleuse où nous nous trouvons, est de ne point faire d'imprudence.» Fait et dit. Le bâtiment est loué et pourvu de vivres et de matelots. La fortune du juif est à bord. Demain, à la pointe du jour, ils mettent à la voile. Ils peuvent souper gaiement et dormir en sûreté. Demain, ils échappent à leurs persécuteurs. Pendant la nuit, le renégat se lève, dépouille le juif de son portefeuille, de sa bourse et de ses bijoux; se rend à bord, et le voilà parti. Et vous croyez que c'est là tout? bon, vous n'y êtes pas. Lorsqu'on me raconta cette histoire, moi, je devinai ce que je vous ai tu, pour essayer votre sagacité. Vous avez bien fait d'être un honnête homme; vous n'auriez été qu'un friponneau. Jusqu'ici le renégat n'est que cela. C'est un coquin méprisable à qui personne ne voudrait ressembler. Le sublime de sa méchanceté; c'est d'avoir été lui-même le délateur de son bon ami l'israélite dont la sainte Inquisition s'empara à son réveil, et dont, quelques jours après, on fit un beau feu de joie. Et ce fut ainsi que le renégat devint tranquille possesseur de la fortune de ce descendant maudit de ceux qui ont crucifié notre Seigneur.

MOI: Je ne sais lequel des deux me fait le plus d'horreur ou de la scélératesse de votre renégat, ou du ton dont vous en parlez.

LUI: Et voilà ce que je vous disais. L'atrocité de l'action vous porte au-delà du mépris; et c'est la raison de ma sincérité. J'ai voulu que vous connussiez jusqu'où j'excellais dans mon art; vous arracher l'aveu que j'étais au moins original dans mon avilissement, me placer dans votre tête sur la ligne des grands vauriens, et m'écrier ensuite, *Vivat Mascarillus, fourbum imperator!* Allons, gai, monsieur le philosophe; chorus. *Vivat Mascarillus, fourbum imperator*[1]*!*

Et là-dessus, il se mit à faire un chant en fugue, tout à fait singulier. Tantôt la mélodie était grave et pleine de majesté; tantôt légère et folâtre; dans un instant il imitait la basse; dans un autre, une des parties du dessus[2]; il m'indiquait de son bras et de son col allongés, les endroits des tenues[3]; et s'exécutait, se composait à lui-même, un chant de triomphe, où l'on voyait qu'il s'entendait mieux en bonne musique qu'en bonnes mœurs.

Je ne savais, moi, si je devais rester ou fuir, rire ou m'indigner. Je restai, dans le dessein de tourner la conversation sur quelque sujet qui chassât de mon âme l'horreur dont elle était remplie. Je commençais à supporter avec peine la présence d'un homme qui discutait une action horrible, un exécrable forfait, comme un connaisseur en peinture ou en poésie, examine les beautés d'un ouvrage de goût; ou comme un moraliste ou un historien relève et fait éclater les circonstances d'une action héroïque. Je devins sombre, malgré moi. Il s'en aperçut et me dit.

LUI : Qu'avez-vous? est-ce que vous vous trouvez mal?

MOI : Un peu; mais cela passera.

LUI : Vous avez l'air soucieux d'un homme tracassé de quelque idée fâcheuse.

MOI : C'est cela.

Après un moment de silence de sa part et de la mienne, pendant lequel il se promenait en sifflant et en chantant, pour le ramener à son talent, je lui dis : « Que faites-vous à présent ? »

LUI : Rien.

MOI : Cela est très fatigant.

LUI : J'étais déjà suffisamment bête. J'ai été entendre cette musique de Douni[1], et de nos autres jeunes faiseurs ; qui m'a achevé.

MOI : Vous approuvez donc ce genre.

LUI : Sans doute.

MOI : Et vous trouvez de la beauté dans ces nouveaux chants.

LUI : Si j'y en trouve ; pardieu, je vous en réponds. Comme cela est déclamé ! quelle vérité ! quelle expression.

MOI : Tout art d'imitation a son modèle dans la nature. Quel est le modèle du musicien, quand il fait un chant ?

LUI : Pourquoi ne pas prendre la chose de plus haut ? qu'est-ce qu'un chant ?

MOI : Je vous avouerai que cette question est au-dessus de mes forces. Voilà comme nous sommes tous. Nous n'avons dans la mémoire que des mots que nous croyons entendre, par l'usage fréquent et l'application, même juste que nous en faisons ; dans l'esprit que des notions vagues. Quand je prononce le mot chant, je n'ai pas des notions plus nettes que vous, et la plupart de vos semblables, quand ils disent, réputation, blâme, honneur, vice, vertu, pudeur, décence, honte, ridicule.

LUI : Le chant est une imitation[2], par les sons d'une échelle inventée par l'art ou inspirée par la nature, comme il vous plaira, ou par la voix ou par l'instrument, des bruits physiques ou des accents de la passion, et vous voyez qu'en changeant là-dedans, les choses à changer, la définition conviendrait exactement à la peinture, à l'éloquence, à la sculpture, et à la poésie. Maintenant, pour en venir à votre question. Quel est le modèle du musicien ou du chant ? c'est la déclamation[1], si le modèle est vivant et pensant ; c'est le bruit, si le modèle est inanimé. Il faut considérer la déclamation comme une ligne, et le chant comme une autre ligne qui serpenterait sur la première[2]. Plus cette déclamation, type du chant sera forte et vraie ; plus le chant qui s'y conforme la coupera en un plus grand nombre de points ; plus le chant sera vrai ; et plus il sera beau. Et c'est ce qu'ont très bien senti nos jeunes musiciens. Quand on entend, *Je suis un pauvre diable*, on croit reconnaître la plainte d'un avare ; s'il ne chantait pas, c'est sur les mêmes tons qu'il parlerait à la terre, quand il lui confie son or et qu'il lui dit, *Ô terre, reçois mon trésor*[3]. Et cette petite fille qui sent palpiter son cœur, qui rougit, qui se trouble et qui supplie monseigneur de la laisser partir, s'exprimerait-elle autrement. Il y a dans ces ouvrages, toutes sortes de caractères ; une variété infinie de déclamations. Cela est sublime ; c'est moi qui vous le dis. Allez, allez entendre le morceau où le jeune homme qui se sent mourir, s'écrie, *Mon cœur s'en va*[4]. Écoutez le chant ; écoutez la symphonie, et vous me direz après quelle différence il y a, entre les vraies voies[a][5] d'un moribond et le tour de ce chant. Vous verrez si la ligne de la mélodie ne coïncide pas tout entière avec la ligne de la déclamation. Je ne vous parle pas de la mesure qui est encore une des conditions du chant ; je m'en tiens à l'expression ; et il n'y a rien de plus évident que le passage suivant que j'ai lu quelque part, *musices seminarium accentus* [1]. L'accent est la pépinière de la mélodie. Jugez de là de quelle difficulté et de quelle importance il est de savoir bien faire le récitatif [2]. Il n'y a point de bel air, dont on ne puisse faire un beau récitatif, et point de beau récitatif, dont un habile homme ne puisse tirer un bel air. Je ne voudrais pas assurer que celui qui récite bien, chantera bien ; mais je serais surpris que celui qui chante bien, ne sût pas bien réciter. Et croyez tout ce que je vous dis là ; car c'est le vrai.

MOI : Je ne demanderais pas mieux que de vous en croire, si je n'étais arrêté par un petit inconvénient.

LUI : Et cet inconvénient ?

MOI : C'est que, si cette musique est sublime, il faut que celle du divin Lulli, de Campra, de Destouches, de Mouret [3], et même soit dit entre nous, celle du cher oncle soit un peu plate.

LUI, s'approchant de mon oreille, me répondit : Je ne voudrais pas être entendu ; car il y a ici beaucoup de gens qui me connaissent ; c'est qu'elle l'est aussi. Ce n'est pas que je me soucie du cher oncle, puisque cher il y a. C'est une pierre. Il me verrait tirer la langue d'un pied, qu'il ne me donnerait pas un verre d'eau. Mais il a beau faire à l'octave, à la septième, hon, hon ; hin, hin ; tu, tu, tu ; turelututu, avec un charivari de diable ; ceux qui commencent à s'y connaître, et qui ne prennent plus du tintamarre [4] pour de la musique, ne s'accommoderont jamais de cela. On devait [5] défendre par une ordonnance de police, à quelque personne, de quelque qualité ou condition qu'elle fût de faire chanter le *Stabat* du Pergolèse. Ce *Stabat*, il fallait le faire brûler par la main du bourreau. Ma foi, ces maudits bouffons, avec leur *Servante maîtresse*, leur *Tracollo*[1], nous en ont donné rudement dans le cul. Autrefois, un *Tancrède*, un *Issé*, une *Europe galante*, *Les Indes*, et *Castor*, *Les Talents lyriques*, allaient à quatre, cinq, six mois. On ne voyait point la fin des représentations d'une *Armide*[2]. À présent tout cela vous tombe les uns sur les autres, comme des capucins de cartes[3]. Aussi Rebel et Francœur[4] jettent-ils feu et flamme. Ils disent que tout est perdu ; qu'ils sont ruinés ; et que si l'on tolère plus longtemps cette canaille chantante de la Foire ; la musique nationale[5] est au diable ; et que l'Académie royale du cul-de-sac[6] n'a qu'à fermer boutique. Il y a bien quelque chose de vrai, là-dedans. Les vieilles perruques qui viennent là depuis trente à quarante ans, tous les vendredis, au lieu de s'amuser comme ils ont fait par le passé, s'ennuient et bâillent sans trop savoir pourquoi. Ils se le demandent, et ne sauraient se répondre. Que ne s'adressent-ils à moi ? La prédiction de Douni s'accomplira ; et du train que cela prend, je veux mourir si dans quatre à cinq ans à dater du *Peintre amoureux de son modèle*[7], il y a un chat à fesser dans le célèbre impasse[8]. Les bonnes gens, ils ont renoncé à leurs symphonies, pour jouer des symphonies italiennes. Ils ont cru qu'ils feraient leurs oreilles à celles-ci, sans conséquence pour leur musique vocale, comme si la symphonie n'était pas au chant, à un peu de libertinage près inspiré par l'étendue de l'instrument, et la mobilité des doigts, ce que le chant est à la déclamation réelle. Comme si le violon n'était pas le singe du chanteur, qui deviendra un jour, lorsque le difficile prendra la place du beau, le singe du violon. Le premier qui joua Locatelli[9], fut l'apôtre de la nouvelle musique. À d'autres, à d'autres. On nous accoutumera à l'imitation des accents de la passion ou des phénomènes de la nature, par le chant et la voix, par l'instrument, car voilà toute l'étendue de l'objet de la musique, et nous conserverons notre goût pour les vols, les lances, les gloires, les triomphes, les victoires[1] ? *Va-t'en voir, s'ils viennent, Jean*[2]. Ils ont imaginé qu'ils pleureraient ou riraient à des scènes de tragédie ou de comédie, musiquées[3] ; qu'on porterait à leurs oreilles, les accents de la fureur, de la haine, de la jalousie, les vraies plaintes de l'amour, les ironies, les plaisanteries, du théâtre italien ou français ; et qu'ils resteraient admirateurs de *Ragonde* et de *Platée*[4]. Je t'en réponds ; tarare, pon-pon[5] ; qu'ils éprouveraient sans cesse, avec quelle facilité, quelle flexibilité, quelle mollesse, l'harmonie, la prosodie, les ellipses, les inversions de la langue italienne se prêtaient à l'art, au mouvement, à l'expression, aux tours du chant, et à la valeur mesurée des sons, et qu'ils continueraient d'ignorer combien la leur est roide, sourde, lourde, pesante, pédantesque et monotone. Eh oui, oui. Ils se sont persuadé qu'après avoir mêlé leurs larmes, aux pleurs d'une mère qui se désole sur la mort de son fils ; après avoir frémi de l'ordre d'un tyran qui ordonne un meurtre ; ils ne s'ennuieraient pas de leur féerie, de leur insipide mythologie, de leurs petits madrigaux doucereux qui ne marquent pas moins le mauvais goût du poète, que la misère de l'art qui s'en accommode. Les bonnes gens ! cela n'est pas et ne peut être. Le vrai, le bon, le beau ont leurs droits. On les conteste, mais on finit par admirer. Ce qui n'est pas marqué à ce coin, on l'admire un temps ; mais on finit par bâiller. Bâillez donc, messieurs ; bâillez à votre aise. Ne vous gênez pas. L'empire de la nature, et de ma trinité, contre laquelle les portes de l'enfer ne prévaudront jamais ; le vrai qui est le père, et qui engendre le bon qui est le fils ; d'où procède le beau qui est le saint esprit, s'établit tout doucement. Le dieu étranger se place humblement sur l'autel à côté de l'idole du pays ; peu à peu, il s'y affermit ; un beau jour, il pousse du coude son camarade ; et patatras, voilà l'idole en bas. C'est comme cela qu'on dit que les jésuites ont planté le christianisme à la Chine et aux Indes. Et ces jansénistes ont beau dire, cette méthode politique qui marche à son but, sans bruit, sans effusion de sang, sans martyr, sans un toupet de cheveux arraché, me semble la meilleure.

MOI : Il y a de la raison, à peu près, dans tout ce que vous venez de dire.

LUI : De la raison ! tant mieux. Je veux que le diable m'emporte, si j'y tâche. Cela va, comme je te pousse. Je suis comme les musiciens de l'impasse, quand mon oncle parut ; si j'adresse à la bonne heure. C'est qu'un garçon charbonnier parlera toujours mieux de son métier que toute une académie et que tous les Duhamels[1] du monde.

Et puis le voilà qui se met à se promener, en murmurant dans son gosier, quelques-uns des airs de *L'Île des fous*, du *Peintre amoureux de son modèle*, du *Maréchal-ferrant*, de *La Plaideuse*[2] ; et de temps en temps, il s'écriait en levant les mains et les yeux au ciel ; «Si cela est beau, mordieu ! si cela est beau ! comment peut-on porter à sa tête une paire d'oreilles et faire une pareille question.» Il commençait à entrer en passion, et à chanter tout bas. Il élevait le ton, à mesure qu'il se passionnait davantage ; vinrent ensuite, les gestes, les grimaces du visage et les contorsions du corps ; et je dis, Bon ; voilà la tête qui se perd, et quelque scène nouvelle qui se prépare ; en effet, il part d'un éclat de voix, *Je suis un pauvre misérable... monseigneur, monseigneur, laissez-moi partir... ô terre, reçois mon or ; conserve bien mon trésor... mon âme, mon âme, ma vie ! ô terre !... le voilà le petit ami ; le voilà le petit ami !... aspettare e non venire... a Zerbina penserete... sempre in contrasti con te si sta*[1]... Il entassait et brouillait ensemble trente airs, italiens, français, tragiques, comiques de toutes sortes de caractères ; tantôt avec une voix de basse-taille, il descendait jusqu'aux enfers ; tantôt s'égosillant, et contrefaisant le fausset, il déchirait le haut des airs[2], imitant de la démarche, du maintien, du geste, les différents personnages chantants ; successivement furieux, radouci, impérieux, ricaneur. Ici, c'est une jeune fille qui pleure et il en rend toute la minauderie ; là il est prêtre, il est roi, il est tyran, il menace, il commande, il s'emporte ; il est esclave, il obéit. Il s'apaise, il se désole, il se plaint, il rit[3] ; jamais hors de ton, de mesure, du sens des paroles et du caractère de l'air. Tous les pousse-bois avaient quitté leurs échiquiers et s'étaient rassemblés autour de lui. Les fenêtres du café étaient occupées, en dehors, par les passants qui s'étaient arrêtés au bruit. On faisait des éclats de rire à entrouvrir le plafond[4]. Lui n'apercevait rien ; il continuait, saisi d'une aliénation d'esprit, d'un enthousiasme si voisin de la folie, qu'il est incertain qu'il en revienne ; s'il ne faudra pas le jeter dans un fiacre, et le mener droit en petites-maisons, en chantant un lambeau des *Lamentations* d'Ioumelli[5]. Il répétait avec une précision, une vérité et une chaleur incroyable, les

plus beaux endroits de chaque morceau; ce beau
récitatif obligé où le prophète peint la désolation de
Jérusalem, il l'arrosa d'un torrent de larmes qui en
arrachèrent de tous les yeux. Tout y était, et la délicatesse du chant, et la force de l'expression; et la
douleur. Il insistait sur les endroits où le musicien
s'était particulièrement montré un grand maître;
s'il quittait la partie du chant, c'était pour prendre
celle des instruments qu'il laissait subitement, pour
revenir à la voix; entrelaçant l'une à l'autre, de
manière à conserver les liaisons, et l'unité du tout;
s'emparant de nos âmes, et les tenant suspendues
dans la situation la plus singulière que j'aie jamais
éprouvée... Admirais-je? Oui, j'admirais! étais-je
touché de pitié? j'étais touché de pitié; mais une
teinte de ridicule était fondue dans ces sentiments,
et les dénaturait.

Mais vous vous seriez échappé en éclats de rire, à
la manière dont il contrefaisait les différents instruments[1]. Avec des joues renflées et bouffies, et un son
rauque et sombre, il rendait les cors et les bassons;
il prenait un son éclatant et nasillard pour les haut-
bois; précipitant sa voix avec une rapidité incroyable,
pour les instruments à cordes dont il cherchait les
sons les plus approchés; il sifflait les petites flûtes;
il reculait[2] les traversières; criant, chantant, se
démenant comme un forcené; faisant lui seul, les
danseurs, les danseuses, les chanteurs, les chan-
teuses, tout un orchestre, tout un théâtre lyrique, et
se divisant en vingt rôles divers, courant, s'arrêtant,
avec l'air d'un énergumène, étincelant des yeux,
écumant de la bouche. Il faisait une chaleur à périr;
et la sueur qui suivait les plis de son front et la longueur de ses joues, se mêlait à la poudre de ses che-

veux, ruisselait, et sillonnait le haut de son habit.
Que ne lui vis-je pas faire[1]? il pleurait, il riait, il
soupirait; il regardait ou attendri, ou tranquille ou
furieux; c'était une femme qui se pâme de douleur;
c'était un malheureux livré à tout son désespoir; un
temple qui s'élève; des oiseaux qui se taisent au
soleil couchant[2]; des eaux ou qui murmurent dans
un lieu solitaire et frais, ou qui descendent en torrent du haut des montagnes; un orage; une tempête,
la plainte de ceux qui vont périr, mêlée au siffle-
ment des vents, au fracas du tonnerre; c'était la
nuit, avec ses ténèbres; c'était l'ombre et le silence;
car le silence même se peint par des sons[3]. Sa tête
était tout à fait perdue. Épuisé de fatigue; tel qu'un
homme qui sort d'un profond sommeil ou d'une
longue distraction; il resta immobile, stupide, étonné.
Il tournait ses regards autour de lui, comme un
homme égaré qui cherche à reconnaître le lieu où il
se trouve. Il attendait le retour de ses forces et de
ses esprits; il essuyait machinalement son visage.
Semblable à celui qui verrait à son réveil, son lit
environné d'un grand nombre de personnes; dans
un entier oubli ou dans une profonde ignorance de
ce qu'il a fait, il s'écria dans le premier moment;
«Hé bien, messieurs, qu'est-ce qu'il y a? d'où viennent vos ris, et votre surprise; qu'est-ce qu'il y a?»
Ensuite il ajouta, «Voilà ce qu'on doit appeler de la
musique et un musicien. Cependant, messieurs, il
ne faut pas mépriser certains morceaux de Lulli.
Qu'on fasse mieux la scène, *Ah j'attendrai*[4] sans
changer les paroles; j'en défie. Il ne faut pas mépriser quelques endroits de Campra, les airs de violon
de mon oncle, ses gavottes; ses entrées de soldats,
de prêtres, de sacrificateurs... *Pâles flambeaux, nuit*

plus affreuse que les ténèbres[1]*... Dieux du Tartare,*
dieu de l'oubli[a2]*...* » Là, il enflait sa voix ; il soutenait
ses sons ; les voisins se mettaient aux fenêtres ; nous
mettions nos doigts dans nos oreilles. Il ajoutait,
« C'est qu'ici il faut des poumons ; un grand organe ;
un volume d'air. Mais avant peu, serviteur à l'Assomption ; le Carême et les Rois sont passés[3]. Ils ne
savent pas encore ce qu'il faut mettre en musique,
ni par conséquent ce qui convient au musicien. La
poésie lyrique est encore à naître[4]. Mais ils y viendront ; à force d'entendre le Pergolèse, le Saxon,
Terradoglias, Trasetta[5], et les autres ; à force de lire
le Métastase[6], il faudra bien qu'ils y viennent. »

MOI : Quoi donc, est-ce que Quinault, La Motte,
Fontenelle n'y ont rien entendu.

LUI : Non pour le nouveau style. Il n'y a pas six
vers de suite dans tous leurs charmants poèmes
qu'on puisse musiquer. Ce sont des sentences ingé-
nieuses ; des madrigaux légers, tendres et délicats ;
mais pour savoir combien cela est vide de ressource
pour notre art, le plus violent de tous[7], sans en
excepter celui de Démosthène, faites-vous réciter
ces morceaux ; combien ils vous paraîtront, froids,
languissants, monotones. C'est qu'il n'y a rien là qui
puisse servir de modèle au chant. J'aimerais autant
avoir à musiquer les *Maximes* de La Rochefoucauld,
ou les *Pensées* de Pascal[8]. C'est au cri animal de la
passion, à dicter la ligne qui nous convient. Il faut
que ses expressions soient pressées les unes sur les
autres ; il faut que la phrase soit courte ; que le sens
en soit coupé, suspendu ; que le musicien puisse
disposer du tout et de chacune de ses parties ; en
omettre un mot, ou le répéter ; y en ajouter un qui
lui manque ; la tourner et retourner, comme un

polype[1], sans la détruire; ce qui rend la poésie lyrique française beaucoup plus difficile que dans les langues à inversions qui présentent d'elles-mêmes tous ces avantages... *Barbare, cruel, Plonge ton poignard dans mon sein. Me voilà prête à recevoir le coup fatal. Frappe, ose... ah, je languis, je meurs... un feu secret s'allume dans mes sens... cruel amour, que veux-tu de moi... Laisse-moi la douce paix dont j'ai joui... rends-moi la raison*[2]... Il faut que les passions soient fortes; la tendresse du musicien et du poète lyrique doit être extrême. L'air est presque toujours la péroraison de la scène. Il nous faut des exclamations, des interjections, des suspensions, des interruptions, des affirmations, des négations; nous appelons, nous invoquons, nous crions, nous gémissons, nous pleurons, nous rions franchement. Point d'esprit, point d'épigrammes; point de ces jolies pensées. Cela est trop loin de la simple nature. Et n'allez pas croire que le jeu des acteurs de théâtre et leur déclamation puissent nous servir de modèles. Fi donc. Il nous le faut plus énergique, moins maniéré, plus vrai. Les discours simples, les voix communes de la passion, nous sont d'autant plus nécessaires que la langue sera plus monotone, aura moins d'accent. Le cri animal ou de l'homme passionné leur en donne.

Tandis qu'il me parlait ainsi, la foule qui nous environnait, ou n'entendant rien ou prenant peu d'intérêt à ce qu'il disait, parce qu'en général l'enfant comme l'homme, et l'homme comme l'enfant aime mieux s'amuser que s'instruire, s'était retirée; chacun était à son jeu; et nous étions restés seuls dans notre coin. Assis sur une banquette, la tête appuyée contre le mur, les bras pendants, les yeux à

demi fermés, il me dit; «Je ne sais ce que j'ai;
quand je suis venu ici, j'étais frais et dispos; et me
voilà roué, brisé, comme si j'avais fait dix lieues.
Cela m'a pris subitement.»

MOI: Voulez-vous vous rafraîchir?

LUI: Volontiers. Je me sens enroué. Les forces me
manquent; et je souffre un peu de la poitrine. Cela
m'arrive presque tous les jours, comme cela; sans
que je sache pourquoi.

MOI: Que voulez-vous?

LUI: Ce qui vous plaira. Je ne suis pas difficile.
L'indigence m'a appris à m'accommoder de tout.

On nous sert de la bière, de la limonade. Il en
remplit un grand verre qu'il vide deux ou trois fois
de suite. Puis comme un homme ranimé, il tousse
fortement, il se démène, il reprend: «Mais à votre
avis, seigneur philosophe, n'est-ce pas une bizarrerie bien étrange, qu'un étranger, un Italien, un
Douni vienne nous apprendre à donner de l'accent
à notre musique, à assujettir notre chant à tous les
mouvements, à toutes les mesures, à tous les intervalles, à toutes les déclamations, sans blesser la
prosodie. Ce n'était pourtant pas la mer à boire.
Quiconque avait écouté un gueux lui dèmander l'aumône dans la rue, un homme dans le transport de la
colère, une femme jalouse et furieuse, un amant
désespéré, un flatteur, oui un flatteur radoucissant
son ton, traînant ses syllabes, d'une voix mielleuse;
en un mot une passion, n'importe laquelle, pourvu
que par son énergie, elle méritât de servir de modèle
au musicien, aurait dû s'apercevoir de deux choses,
l'une que les syllabes, longues ou brèves, n'ont
aucune durée fixe, pas même de rapport déterminé
entre leurs durées; que la passion dispose de la pro-

sodie, presque comme il lui plaît; qu'elle exécute les plus grands intervalles, et que celui qui s'écrie dans le fort de sa douleur; Ah, malheureux que je suis, monte la syllabe d'exclamation au ton le plus élevé et le plus aigu, et descend les autres aux tons les plus graves et les plus bas, faisant l'octave ou même un plus grand intervalle, et donnant à chaque son la quantité qui convient au tour de la mélodie; sans que l'oreille soit offensée, sans que ni la syllabe longue, ni la syllabe brève aient conservé la longueur ou la brièveté du discours tranquille. Quel chemin nous avons fait depuis le temps où nous citions la parenthèse d'*Armide, Le vainqueur de Renaud, si quelqu'un le peut être*, l'*Obéissons sans balancer* des *Indes galantes* [1], comme des prodiges de déclamation musicale! À présent, ces prodiges-là me font hausser les épaules de pitié. Du train dont l'art s'avance, je ne sais où il aboutira. En attendant, buvons un coup.»

Il en boit deux, trois, sans savoir ce qu'il faisait. Il allait se noyer [2], comme il s'était épuisé, sans s'en apercevoir, si je n'avais déplacé la bouteille qu'il cherchait de distraction. Alors je lui dis.

MOI : Comment se fait-il qu'avec un tact aussi fin, une si grande sensibilité pour les beautés de l'art musical; vous soyez aussi aveugle sur les belles choses en morale, aussi insensible aux charmes de la vertu [3]?

LUI : C'est apparemment qu'il y a pour les unes un sens que je n'ai pas; une fibre qui ne m'a point été donnée, une fibre [4] lâche qu'on a beau pincer et qui ne vibre pas; ou peut-être c'est que j'ai toujours vécu avec de bons musiciens et de méchantes gens; d'où il est arrivé que mon oreille est devenue très fine, et que mon cœur est devenu sourd. Et puis c'est qu'il y avait quelque chose de race. Le sang de mon père et le sang de mon oncle est le même sang. Mon sang est le même que celui de mon père. La molécule[1] paternelle était dure et obtuse ; et cette maudite molécule première s'est assimilé tout le reste.

MOI : Aimez-vous votre enfant ?

LUI : Si je l'aime, le petit sauvage. J'en suis fou[2].

MOI : Est-ce que vous ne vous occuperez pas sérieusement d'arrêter en lui l'effet de la maudite molécule paternelle ?

LUI : J'y travaillerais, je crois, bien inutilement[3]. S'il est destiné à devenir un homme de bien, je n'y nuirai pas. Mais si la molécule voulait qu'il fût un vaurien comme son père, les peines que j'aurais prises, pour en faire un homme honnête lui seraient très nuisibles ; l'éducation croisant sans cesse la pente de la molécule, il serait tiré comme par deux forces contraires, et marcherait tout de guingois, dans le chemin de la vie, comme j'en vois une infinité, également gauches dans le bien et dans le mal ; c'est ce que nous appelons des espèces, de toutes les épithètes la plus redoutable, parce qu'elle marque la médiocrité, et le dernier degré du mépris. Un grand vaurien est un grand vaurien, mais n'est point une espèce. Avant que la molécule paternelle n'eût repris le dessus et ne l'eût amené à la parfaite abjection où j'en suis, il lui faudrait un temps infini · il perdrait ses plus belles années. Je n'y fais rien à présent. Je le laisse venir. Je l'examine. Il est déjà gourmand, patelin, filou, paresseux, menteur. Je crains bien qu'il ne chasse de race.

MOI : Et vous en ferez un musicien, afin qu'il ne manque rien à la ressemblance ?

LUI : Un musicien ! un musicien ! quelquefois je le regarde, en grinçant les dents ; et je dis, Si tu devais jamais savoir une note, je crois que je te tordrais le col.

MOI : Et pourquoi cela, s'il vous plaît ?

LUI : Cela ne mène à rien.

MOI : Cela mène à tout.

LUI : Oui, quand on excelle ; mais qui est-ce qui peut se promettre de son enfant qu'il excellera ? il y a dix mille à parier contre un qu'il ne sera qu'un misérable racleur de cordes, comme moi. Savez-vous qu'il serait peut-être plus aisé de trouver un enfant propre à gouverner un royaume, à faire un grand roi qu'un grand violon.

MOI : Il me semble que les talents agréables, même médiocres, chez un peuple sans mœurs, perdu de débauche et de luxe, avancent rapidement un homme dans le chemin de la fortune. Moi qui vous parle*a*, j'ai entendu la conversation qui suit, entre une espèce de protecteur et une espèce de protégé[1]. Celui-ci avait été adressé au premier, comme à un homme obligeant qui pourrait le servir. «Monsieur, que savez-vous ? — Je sais passablement les mathématiques. — Hé bien, montrez les mathématiques ; après vous être crotté dix à douze ans sur le pavé de Paris, vous aurez trois à quatre cents livres de rente. — J'ai étudié les lois, et je suis versé dans le droit. — Si Pufendorf et Grotius[2] revenaient au monde, ils mourraient de faim, contre une borne. — Je sais très bien l'histoire et la géographie. — S'il y avait des parents qui eussent à cœur la bonne éducation de leurs enfants, votre fortune serait faite ; mais il

n'y en a point. — Je suis assez bon musicien. — Et
que ne disiez-vous cela d'abord! et pour vous faire
voir le parti qu'on peut tirer de ce dernier talent;
j'ai une fille. Venez tous les jours depuis 7 heures et
demie du soir, jusqu'à 9; vous lui donnerez leçon,
et je vous donnerai vingt-cinq louis par an. Vous
déjeunerez, dînerez, goûterez, souperez avec nous.
Le reste de votre journée vous appartiendra; vous
en disposerez à votre profit. »

LUI : Et cet homme qu'est-il devenu ?

MOI : S'il eût été sage, il eût fait fortune, la seule
chose qu'il paraît que vous ayez en vue.

LUI : Sans doute. De l'or, de l'or. L'or est tout; et
le reste, sans or, n'est rien. Aussi au lieu de lui far-
cir la tête de belles maximes qu'il faudrait qu'il
oubliât, sous peine de n'être qu'un gueux; lorsque je
possède un louis, ce qui ne m'arrive pas souvent; je
me plante devant lui. Je tire le louis de ma poche. Je
le lui montre avec admiration. J'élève les yeux au
ciel. Je baise le louis devant lui. Et pour lui faire
entendre mieux encore l'importance de la pièce
sacrée, je lui bégaye de la voix; je lui désigne du
doigt tout ce qu'on en peut acquérir, un beau fourreau, un beau toquet[1], un bon biscuit. Ensuite je
mets le louis dans ma poche; je me promène avec
fierté; je relève la basque de ma veste; je frappe de
la main sur mon gousset; et c'est ainsi que je lui fais
concevoir que c'est du louis qui est là, que naît l'as-
surance qu'il me voit.

MOI : On ne peut rien de mieux. Mais s'il arrivait
que profondément pénétré de la valeur du louis, un
jour[2]...

LUI : Je vous entends. Il faut fermer les yeux là-
dessus. Il n'y a point de principe de morale qui n'ait

son inconvénient. Au pis aller, c'est un mauvais quart d'heure, et tout est fini.

MOI : Même d'après des vues si courageuses et si sages, je persiste à croire qu'il serait bon d'en faire un musicien. Je ne connais pas de moyen d'approcher plus rapidement des grands, de servir leurs vices, et de mettre à profit les siens.

LUI : Il est vrai ; mais j'ai des projets d'un succès plus prompt et plus sûr. Ah, si c'était aussi bien une fille ! mais comme on ne fait pas ce qu'on veut ; il faut prendre ce qui vient ; en tirer le meilleur parti ; et pour cela, ne pas donner bêtement, comme la plupart des pères qui ne feraient rien de pis, quand ils auraient médité le malheur de leurs enfants, l'éducation de Lacédémone, à un enfant destiné à vivre à Paris. Si elle est mauvaise, c'est la faute des mœurs de ma nation, et non la mienne. En répondra qui pourra. Je veux que mon fils soit heureux ; ou ce qui revient au même honoré, riche et puissant. Je connais un peu les voies les plus faciles d'arriver à ce but ; et je les lui enseignerai de bonne heure. Si vous me blâmez, vous autres sages, la multitude et le succès m'absoudront. Il aura de l'or ; c'est moi qui vous le dis. S'il en a beaucoup, rien ne lui manquera, pas même votre estime et votre respect.

MOI : Vous pourriez vous tromper.

LUI : Ou il s'en passera ; comme bien d'autres.

Il y avait dans tout cela beaucoup de ces choses qu'on pense, d'après lesquelles on se conduit ; mais qu'on ne dit pas. Voilà en vérité la différence la plus marquée entre mon homme, et la plupart de nos entours. Il avouait les vices qu'il avait, que les autres ont ; mais il n'était pas hypocrite. Il n'était ni plus ni moins abominable qu'eux; il était seulement plus franc, et plus conséquent; et quelquefois profond dans sa dépravation. Je tremblais de ce que son enfant deviendrait sous un pareil maître. Il est certain que d'après des idées d'institution[1] aussi strictement calquées sur nos mœurs, il devait aller loin, à moins qu'il ne fût prématurément arrêté en chemin.

LUI : Ho ne craignez rien, me dit-il; le point important; le point difficile auquel un bon père doit surtout s'attacher; ce n'est pas de donner à son enfant des vices qui l'enrichissent, des ridicules qui le rendent précieux aux grands; tout le monde le fait, sinon de système comme moi; mais au moins d'exemple et de leçon; mais de lui marquer la juste mesure, l'art d'esquiver à la honte, au déshonneur et aux lois. Ce sont des dissonances dans l'harmonie sociale qu'il faut savoir placer, préparer et sauver. Rien de si plat qu'une suite d'accords parfaits. Il faut quelque chose qui pique[2], qui sépare le faisceau, et qui en éparpille les rayons.

MOI : Fort bien. Par cette comparaison, vous me ramenez des mœurs, à la musique dont je m'étais écarté malgré moi, et je vous en remercie; car, à ne vous rien celer; je vous aime mieux musicien que moraliste.

LUI : Je suis pourtant bien subalterne en musique, et bien supérieur en morale.

MOI : J'en doute; mais quand cela serait; je suis un bon homme, et vos principes ne sont pas les miens.

LUI : Tant pis pour vous. Ah si j'avais vos talents.

MOI : Laissons mes talents; et revenons aux vôtres.

LUI : Si je savais m'énoncer comme vous. Mais

j'ai un diable de ramage saugrenu, moitié des gens du monde et des lettres, moitié de la halle.

MOI : Je parle mal. Je ne sais que dire la vérité ; et cela ne prend pas toujours, comme vous savez.

LUI : Mais ce n'est pas pour dire la vérité ; au contraire, c'est pour bien dire le mensonge que j'ambitionne votre talent. Si je savais écrire ; fagoter un livre, tourner une épître dédicatoire, bien enivrer un sot de son mérite ; m'insinuer auprès des femmes.

MOI : Et tout cela, vous le savez mille fois mieux que moi. Je ne serais pas même digne d'être votre écolier.

LUI : Combien de grandes qualités perdues, et dont vous ignorez le prix.

MOI : Je recueille tout celui que j'y mets.

LUI : Si cela était, vous n'auriez pas cet habit grossier, cette veste d'étamine[1], ces bas de laine, ces souliers épais, et cette antique perruque.

MOI : D'accord. Il faut être bien maladroit, quand on n'est pas riche, et que l'on se permet tout pour le devenir. Mais c'est qu'il y a des gens comme moi qui ne regardent pas la richesse, comme la chose du monde la plus précieuse ; gens bizarres.

LUI : Très bizarres. On ne naît pas avec cette tournure-là. On se la donne ; car elle n'est pas dans la nature.

MOI : De l'homme ?

LUI : De l'homme. Tout ce qui vit, sans l'en excepter, cherche son bien-être aux dépens de qui il appartiendra, et je suis sûr que, si je laissais venir le petit sauvage, sans lui parler de rien ; il voudrait être richement vêtu, splendidement nourri, chéri des hommes, aimé des femmes, et rassembler sur lui tous les bonheurs de la vie.

MOI : Si le petit sauvage était abandonné à lui-même ; qu'il conservât toute son imbécillité et qu'il réunît au peu de raison de l'enfant au berceau, la violence des passions de l'homme de trente ans, il tordrait le col à son père, et coucherait avec sa mère[1].

LUI : Cela prouve la nécessité d'une bonne éducation ; et qui est-ce qui la conteste ? et qu'est-ce qu'une bonne éducation, sinon celle qui conduit à toutes sortes de jouissances, sans péril, et sans inconvénient.

MOI : Peu s'en faut que je ne sois de votre avis, mais gardons-nous de nous expliquer.

LUI : Pourquoi ?

MOI : C'est que je crains que nous ne soyons d'accord qu'en apparence ; et que, si nous entrons une fois, dans la discussion des périls et des inconvénients à éviter, nous ne nous entendions plus.

LUI : Et qu'est-ce que cela fait ?

MOI : Laissons cela, vous dis-je. Ce que je sais là-dessus, je ne vous l'apprendrais pas ; et vous m'instruirez plus aisément de ce que j'ignore et que vous savez en musique. Cher Rameau, parlons musique, et dites-moi comment il est arrivé qu'avec la facilité de sentir, de retenir et de rendre les plus beaux endroits des grands maîtres ; avec l'enthousiasme qu'ils vous inspirent et que vous transmettez aux autres, vous n'ayez rien fait qui vaille.

Au lieu de me répondre, il se mit à hocher de la tête, et levant le doigt au ciel, il ajouta, « Et l'astre ! l'astre ! quand la nature fit Leo, Vinci[2], Pergolèse, Douni, elle sourit. Elle prit un air imposant et grave, en formant le cher oncle Rameau qu'on aura appelé pendant une dizaine d'années le grand Rameau et

dont bientôt on ne parlera plus. Quand elle fagota
son neveu, elle fit la grimace et puis la grimace, et
puis la grimace encore»; et en disant ces mots, il
faisait toutes sortes de grimaces du visage; c'était le
mépris, le dédain, l'ironie; et il semblait pétrir entre
ses doigts un morceau de pâte, et sourit aux formes
ridicules qu'il lui donnait. Cela fait, il jeta la pagode
hétéroclite loin de lui; et il dit: «C'est ainsi qu'elle
me fit et qu'elle me jeta, à côté d'autres pagodes, les
unes à gros ventres ratatinés, à cols courts, à gros
yeux hors de la tête, apoplectiques; d'autres à cols
obliques; il y en avait de sèches, à l'œil vif, au nez
crochu; toutes se mirent à crever de rire, en me
voyant; et moi, de mettre mes deux poings sur mes
côtes, et à crever de rire, en les voyant; car les sots
et les fous s'amusent les uns des autres; ils se cher-
chent, ils s'attirent. Si, en arrivant là, je n'avais pas
trouvé tout fait le proverbe qui dit que *l'argent des
sots est le patrimoine des gens d'esprit*, on me le
devrait. Je sentis que nature avait mis ma légitime[1]
dans la bourse des pagodes[2]; et j'inventai mille
moyens de m'en ressaisir.»

MOI : Je sais ces moyens; vous m'en avez parlé, et
je les ai fort admirés. Mais entre tant de ressource,
pourquoi n'avoir pas tenté celle d'un bel ouvrage.

LUI : Ce propos est celui d'un homme du monde à
l'abbé Le Blanc... L'abbé disait, «La marquise de
Pompadour me prend sur la main; me porte jusque
sur le seuil de l'Académie; là elle retire sa main. Je
tombe et je me casse les deux jambes». L'homme du
monde lui répondait; «Hé bien, l'abbé, il faut se relever, et enfoncer la porte d'un coup de tête.» L'abbé
lui répliquait; «C'est ce que j'ai tenté; et savez-vous
ce qui m'en est revenu, une bosse au front[3].»

Après cette historiette, mon homme se mit à marcher la tête baissée, l'air pensif et abattu ; il soupirait, pleurait, se désolait, levait les mains et les yeux, se frappait la tête du poing, à se briser le front ou les doigts, et il ajoutait, « Il me semble qu'il y a pourtant là quelque chose ; mais j'ai beau frapper, secouer, il ne sort rien ». Puis il recommençait à secouer sa tête et à se frapper le front de plus belle, et il disait, « Ou il n'y a personne, ou l'on ne veut pas répondre ».

Un instant après, il prenait un air fier, il relevait sa tête, il s'appliquait la main droite sur le cœur ; il marchait et disait, « Je sens, oui je sens ». Il contrefaisait l'homme qui s'irrite, qui s'indigne, qui s'attendrit, qui commande, qui supplie, et prononçait, sans préparation, des discours de colère, de commisération, de haine, d'amour ; il esquissait les caractères des passions[1] avec une finesse et une vérité surprenante. Puis il ajoutait ; « C'est cela, je crois. Voilà que cela vient ; voilà ce que c'est que de trouver un accoucheur qui sait irriter, précipiter les douleurs, et faire sortir l'enfant[2] ; seul, je prends la plume ; je veux écrire. Je me ronge les ongles ; je m'use le front. Serviteur. Bonsoir. Le dieu est absent ; je m'étais persuadé que j'avais du génie ; au bout de ma ligne, je lis que je suis un sot, un sot, un sot. Mais le moyen de sentir, de s'élever, de penser, de peindre fortement, en fréquentant avec des gens, tels que ceux qu'il faut voir pour vivre ; au milieu des propos qu'on tient ; et de ceux qu'on entend, et de ce commérage, Aujourd'hui le Boulevard était charmant. Avez-vous entendu la petite marmotte[3] ? elle joue à ravir. Monsieur un tel avait le plus bel attelage gris pommelé qu'il soit possible d'imaginer. La belle madame celle-ci commence à passer. Est-ce qu'à l'âge de quarante-cinq ans, on porte une coiffure comme celle-là. La jeune une telle est couverte de diamants qui ne lui coûtent guères. — Vous voulez dire qui lui coûtent cher. — Mais non. — Où l'avez-vous vue ? — À *L'Enfant d'Arlequin perdu et retrouvé* [1]. La scène du désespoir a été jouée, comme elle ne l'avait pas encore été. Le polichinelle de la Foire a du gosier, mais point de finesse ; point d'âme. Mme une telle est accouchée de deux enfants à la fois. Chaque père aura le sien. — Et vous croyez que cela dit, redit et entendu tous les jours, échauffe et conduit aux grandes choses. »

MOI : Non, il vaudrait mieux se renfermer dans son grenier, boire de l'eau, manger du pain sec, et se chercher soi-même.

LUI : Peut-être ; mais je n'en ai pas le courage ; et puis sacrifier son bonheur à un succès incertain. Et le nom que je porte donc ? Rameau ! s'appeler Rameau, cela est gênant [2]. Il n'en est pas des talents, comme de la noblesse qui se transmet et dont l'illustration s'accroît en passant du grand-père au père, du père au fils, du fils à son petit-fils, sans que l'aïeul impose quelque mérite à son descendant. La vieille souche se ramifie en une énorme tige de sots ; mais qu'importe ? Il n'en est pas ainsi du talent. Pour n'obtenir que la renommée de son père, il faut être plus habile que lui. Il faut avoir hérité de sa fibre. La fibre m'a manqué ; mais le poignet s'est dégourdi ; l'archet marche, et le pot bout. Si ce n'est pas de la gloire ; c'est du bouillon.

MOI : À votre place, je ne me le tiendrais pas pour dit ; j'essaierais.

LUI : Et vous croyez que je n'ai pas essayé. Je n'avais pas quinze ans, lorsque je me dis, pour la première fois; Qu'as-tu, Rameau? tu rêves. Et à quoi rêves-tu? que tu voudrais bien avoir fait ou faire quelque chose qui excitât l'admiration de l'univers. Hé oui; il n'y a qu'à souffler et remuer les doigts[1]. Il n'y a qu'à ourler le bec; et ce sera une cane[a][2]. Dans un âge plus avancé, j'ai répété le propos de mon enfance. Aujourd'hui je le répète encore; et je reste autour de la statue de Memnon.

MOI: Que voulez-vous dire avec votre statue de Memnon[3]?

LUI: Cela s'entend, ce me semble. Autour de la statue de Memnon, il y en avait une infinité d'autres également frappées des rayons du soleil; mais la sienne était la seule qui résonnât. Un poète, c'est De Voltaire; et puis qui encore? De Voltaire; et le troisième De Voltaire; et le quatrième, De Voltaire. Un musicien, c'est Rinaldo da Capoua; c'est Hasse; c'est Pergolèse; c'est Alberti; c'est Tartini[4]; c'est Locatelli; c'est Terradoglias; c'est mon oncle; c'est ce petit Douni qui n'a ni mine, ni figure; mais qui sent, mordieu, qui a du chant et de l'expression. Le reste, autour de ce petit nombre de Memnons, autant de paires d'oreilles fichées au bout d'un bâton. Aussi sommes-nous gueux, si gueux que c'est une bénédiction. Ah, monsieur le philosophe, la misère est une terrible chose. Je la vois accroupie, la bouche béante, pour recevoir quelques gouttes de l'eau glacée qui s'échappe du tonneau des Danaïdes. Je ne sais si elle aiguise l'esprit du philosophe; mais elle refroidit diablement la tête du poète. On ne chante pas bien sous ce tonneau. Trop heureux encore, celui qui peut s'y placer. J'y étais; et je n'ai pas su m'y tenir. J'avais déjà fait cette sottise une fois. J'ai voyagé en Bohême, en Allemagne, en Suisse, en Hollande, en Flandres ; au diable, au vert[1].

MOI : Sous le tonneau percé.

LUI : Sous le tonneau percé ; c'était un juif[2] opulent et dissipateur qui aimait la musique et mes folies. Je musiquais, comme il plaît à Dieu ; je faisais le fou ; je ne manquais de rien. Mon juif était un homme qui savait sa loi, et qui l'observait roide comme une barre, quelquefois avec l'ami, toujours avec l'étranger. Il se fit une mauvaise affaire qu'il faut que je vous raconte, car elle est plaisante. Il y avait à Utrecht une courtisane charmante. Il fut tenté de la chrétienne ; il lui dépêcha un grison[3], avec une lettre de change assez forte. La bizarre créature rejeta son offre. Le juif en fut désespéré. Le grison, lui dit ; « Pourquoi vous affliger ainsi ! vous voulez coucher avec une jolie femme ; rien n'est plus aisé, et même de coucher avec une plus jolie que celle que vous poursuivez. C'est la mienne, que je vous céderai au même prix. » Fait et dit. Le grison garde la lettre de change et mon juif couche avec la femme du grison. L'échéance de la lettre de change arrive. Le juif la laisse protester et s'inscrit en faux. Procès. Le juif disait, Jamais cet homme n'osera dire à quel titre il possède ma lettre, et je ne la paierai pas. À l'audience, il interpelle le grison. « Cette lettre de change de qui la tenez-vous ? — De vous. — Est-ce pour de l'argent prêté ? — Non. — Est-ce pour fourniture de marchandise ? — Non. — Est-ce pour services rendus ? — Non. Mais il ne s'agit point de cela. J'en suis possesseur. Vous l'avez signée, et vous l'acquitterez. — Je ne l'ai point signée. — Je suis donc un faussaire. — Vous ou un autre dont vous êtes l'agent. — Je suis un lâche, mais vous êtes

un coquin. Croyez-moi, ne me poussez pas à bout.
Je dirai tout. Je me déshonorerai, mais je vous per-
drai.» Le juif ne tint compte de la menace ; et le grison révéla toute l'affaire, à la séance qui suivit. Ils
furent blâmés[1] tous les deux ; et le juif condamné à
payer la lettre de change, dont la valeur fut appli-
quée au soulagement des pauvres. Alors, je me sépa-
rai de lui. Je revins ici. Quoi faire ? car il fallait périr
de misère, ou faire quelque chose. Il me passa toutes
sortes de projets par la tête. Un jour, je partais le
lendemain pour me jeter dans une troupe de province également bon ou mauvais pour le théâtre ou
pour l'orchestre ; le lendemain, je songeais à me faire
peindre un de ces tableaux attachés à une perche
qu'on plante dans un carrefour, et où j'aurais crié à
tue-tête ; Voilà la ville où il est né ; le voilà qui prend
congé de son père l'apothicaire ; le voilà qui arrive
dans la capitale, cherchant la demeure de son oncle ;
le voilà aux genoux de son oncle qui le chasse ; le
voilà avec un juif, *et caetera et caetera*. Le jour suivant, je me levais bien résolu de m'associer aux
chanteurs des rues ; ce n'est pas ce que j'aurais fait
de plus mal ; nous serions allés concerter sous les
fenêtres du cher oncle qui en serait crevé de rage. Je
pris un autre parti.

  Là il s'arrêta, passant successivement de l'attitude d'un homme qui tient un violon, serrant des
cordes à tour de bras, à celle d'un pauvre diable
exténué de fatigue, à qui les forces manquent, dont
les jambes flageolent, prêt à expirer, si on ne lui
jette un morceau de pain ; il désignait son extrême
besoin, par le geste d'un doigt dirigé vers sa bouche
entrouverte ; puis il ajouta ; «Cela s'entend. On me
jetait le lopin[2]. Nous nous le disputions à trois ou

quatre affamés que nous étions ; et puis pensez
grandement ; faites de belles choses, au milieu d'une
pareille détresse. »

MOI : Cela est difficile.

LUI : De cascade en cascade, j'étais tombé là. J'y
étais comme un coq en pâte. J'en suis sorti. Il faudra derechef scier le boyau[1], et revenir au geste du
doigt vers la bouche béante. Rien de stable dans ce
monde. Aujourd'hui, au sommet ; demain au bas de
la roue. De maudites circonstances nous mènent ; et
nous mènent fort mal.

Puis buvant un coup qui restait au fond de la bouteille[2] et s'adressant à son voisin ; « Monsieur, par
charité, une petite prise[3]. Vous avez là une belle
boîte ? vous n'êtes pas musicien ? — Non. — Tant
mieux pour vous ; car ce sont de pauvres bougres
bien à plaindre. Le sort a voulu que je le fusse, moi ;
tandis qu'il y a, à Montmartre peut-être, dans un
moulin, un meunier, un valet de meunier qui n'en-
tendra jamais que bruit du cliquet[4], et qui aurait
trouvé les plus beaux chants. Rameau, au moulin ?
Au moulin. C'est là ta place. »

MOI : À quoi que ce soit que l'homme s'applique,
la nature l'y destinait.

LUI : Elle fait d'étranges bévues[5]. Pour moi je ne
vois pas de cette hauteur où tout se confond, l'homme
qui émonde un arbre avec des ciseaux, la chenille
qui en ronge la feuille, et d'où l'on ne voit que deux
insectes différents, chacun à son devoir. Perchez-
vous sur l'épicycle de Mercure[6] : et de là, distribuez
si cela vous convient, et à l'imitation de Réaumur,
lui la classe des mouches en couturières, arpen-
teuses, faucheuses[7], vous, l'espèce des hommes, en
hommes menuisiers, charpentiers, coureurs[a8], dan-

seurs, chanteurs, c'est votre affaire. Je ne m'en mêle pas. Je suis dans ce monde et j'y reste. Mais s'il est dans la nature d'avoir appétit ; car c'est toujours à l'appétit que j'en reviens, à la sensation qui m'est toujours présente ; je trouve qu'il n'est pas du bon ordre de n'avoir pas toujours de quoi manger. Que diable d'économie, des hommes qui regorgent de tout, tandis que d'autres qui ont un estomac importun comme eux, une faim renaissante comme eux, et pas de quoi mettre sous la dent. Le pis, c'est la posture contrainte où nous tient le besoin[1]. L'homme nécessiteux ne marche pas comme un autre ; il saute, il rampe, il se tortille, il se traîne ; il passe sa vie à prendre et à exécuter des positions.

MOI : Qu'est-ce que des positions ?

LUI : Allez le demander à Noverre[2]. Le monde en offre bien plus que son art n'en peut imiter.

MOI : Et vous voilà, aussi, pour me servir de votre expression, ou de celle de Montaigne, *perché sur l'épicycle de Mercure*, et considérant les différentes pantomimes de l'espèce humaine.

LUI : Non, non, vous dis-je. Je suis trop lourd pour m'élever si haut. J'abandonne aux grues le séjour des brouillards. Je vais terre à terre. Je regarde autour de moi ; et je prends mes positions, ou je m'amuse des positions que je vois prendre aux autres. Je suis excellent pantomime ; comme vous en allez juger.

Puis il se met à sourire, à contrefaire l'homme admirateur, l'homme suppliant ; l'homme complaisant ; il a le pied droit en avant, le gauche en arrière, le dos courbé, la tête relevée, le regard comme attaché sur d'autres yeux, la bouche entrouverte, les bras portés vers quelque objet ; il attend un ordre, il

le reçoit; il part comme un trait; il revient. Il est
exécuté; il en rend compte. Il est attentif à tout; il
ramasse ce qui tombe; il place un oreiller ou un
tabouret sous des pieds; il tient une soucoupe, il
approche une chaise; il ouvre une porte; il ferme
une fenêtre; il tire des rideaux; il observe le maître
et la maîtresse; il est immobile; les bras pendants;
les jambes parallèles; il écoute; il cherche à lire sur
des visages[1]; et il ajoute. «Voilà ma pantomime, à
peu près la même que celle des flatteurs, des courti-
sans, des valets et des gueux.»

Les folies de cet homme, les contes de l'abbé
Galiani[2], les extravagances de Rabelais[3] m'ont quelquefois fait rêver profondément. Ce sont trois maga-
sins où je me suis pourvu de masques[4] ridicules que
je place sur le visage des plus graves personnages;
et je vois Pantalon dans un prélat, un satyre dans
un président, un pourceau dans un cénobite, une
autruche dans un ministre, une oie dans son premier commis[5]. «Mais à votre compte», dis-je, à mon
homme, «il y a bien des gueux dans ce monde-ci; et
je ne connais personne qui ne sache quelques pas de
votre danse.»

LUI: Vous avez raison. Il n'y a dans tout un
royaume qu'un homme qui marche. C'est le souverain. Tout le reste prend des positions.

MOI: Le souverain? encore y a-t-il quelque chose
à dire? et croyez-vous qu'il ne se trouve pas, de
temps en temps, à côté de lui, un petit pied, un petit
chignon, un petit nez qui lui fasse faire un peu de la
pantomime. Quiconque a besoin d'un autre, est
indigent et prend une position. Le roi prend une
position devant sa maîtresse et devant Dieu; il fait
son pas de pantomime. Le ministre fait le pas de

courtisan, de flatteur, de valet ou de gueux devant son roi. La foule des ambitieux dansent vos positions, en cent manières plus viles les unes que les autres, devant le ministre. L'abbé de condition en rabat, et en manteau long, au moins une fois, la semaine, devant le dépositaire de la feuille des bénéfices[1]. Ma foi, ce que vous appelez la pantomime des gueux, est le grand branle de la terre. Chacun a sa petite Hus et son Bertin.

LUI : Cela me console.

Mais tandis que je parlais, il contrefaisait à mourir de rire, les positions des personnages que je nommais ; par exemple, pour le petit abbé, il tenait son chapeau sous le bras, et son bréviaire de la main gauche ; de la droite, il relevait la queue de son manteau ; il s'avançait la tête un peu penchée sur l'épaule, les yeux baissés, imitant si parfaitement l'hypocrite que je crus voir l'auteur des *Réfutations* devant l'évêque d'Orléans[2]. Aux flatteurs, aux ambitieux, il était ventre à terre. C'était Bouret, au contrôle général.

MOI : Cela est supérieurement exécuté, lui dis-je. Mais il y a pourtant un être dispensé de la pantomime. C'est le philosophe qui n'a rien et qui ne demande rien.

LUI : Et où est cet animal-là ? s'il n'a rien il souffre ; s'il ne sollicite rien, il n'obtiendra rien, et il souffrira toujours.

MOI : Non. Diogène se moquait des besoins[3].

LUI : Mais il faut être vêtu.

MOI : Non. Il allait tout nu.

LUI : Quelquefois il faisait froid dans Athènes.

MOI : Moins qu'ici.

LUI : On y mangeait.

MOI : Sans doute.

LUI : Aux dépens de qui ?

MOI : De la nature. À qui s'adresse le sauvage ? à la terre, aux animaux, aux poissons, aux arbres, aux herbes, aux racines, aux ruisseaux.

LUI : Mauvaise table.

MOI : Elle est grande.

LUI : Mais mal servie.

MOI : C'est pourtant celle qu'on dessert, pour couvrir les nôtres.

LUI : Mais vous conviendrez que l'industrie de nos cuisiniers, pâtissiers, rôtisseurs, traiteurs, confiseurs y met un peu du sien. Avec la diète austère de votre Diogène, il ne devait pas avoir des organes fort indociles.

MOI : Vous vous trompez. L'habit du cynique était autrefois, notre habit monastique avec la même vertu[1]. Les cyniques étaient les carmes et les cordeliers d'Athènes.

LUI : Je vous y prends. Diogène a donc aussi dansé la pantomime ; si ce n'est devant Périclès, du moins devant Laïs ou Phryné.

MOI : Vous vous trompez encore. Les autres achetaient bien cher la courtisane qui se livrait à lui pour le plaisir.

LUI : Mais s'il arrivait que la courtisane fût occupée et le cynique pressé.

MOI : Il rentrait dans son tonneau, et se passait d'elle[2].

LUI : Et vous me conseilleriez de l'imiter ?

MOI : Je veux mourir, si cela ne vaudrait mieux que de ramper, de s'avilir, et se prostituer.

LUI : Mais il me faut un bon lit, une bonne table, un vêtement chaud en hiver ; un vêtement frais, en été; du repos, de l'argent, et beaucoup d'autres choses, que je préfère de devoir à la bienveillance, plutôt que de les acquérir par le travail.

MOI : C'est que vous êtes un fainéant, un gourmand, un lâche, une âme de boue.

LUI : Je crois vous l'avoir dit.

MOI : Les choses de la vie ont un prix sans doute; mais vous ignorez celui du sacrifice que vous faites pour les obtenir. Vous dansez, vous avez dansé et vous continuerez de danser la vile pantomime.

LUI : Il est vrai. Mais il m'en a peu coûté, et il ne m'en coûte plus rien pour cela. Et c'est par cette raison que je ferais mal de prendre une autre allure qui me peinerait, et que je ne garderais pas. Mais, je vois à ce que vous me dites là que ma pauvre petite femme était une espèce de philosophe[1]. Elle avait du courage comme un lion. Quelquefois nous manquions de pain, et nous étions sans le sol. Nous avions vendu presque toutes nos nippes. Je m'étais jeté sur les pieds de notre lit, là je me creusais à chercher quelqu'un qui me prêtât un écu que je ne lui rendrais pas. Elle gaie comme un pinson, se mettait à son clavecin, chantait et s'accompagnait. C'était un gosier de rossignol[2]; je regrette que vous ne l'ayez pas entendue. Quand j'étais de quelque concert, je l'emmenais avec moi. Chemin faisant, je lui disais; «Allons, madame, faites-vous admirer; déployez votre talent et vos charmes. Enlevez. Renversez.» Nous arrivions; elle chantait, elle enlevait, elle renversait. Hélas, je l'ai perdue[3], la pauvre petite. Outre son talent, c'est qu'elle avait une bouche à recevoir à peine le petit doigt; des dents, une rangée de perles; des yeux, des pieds, une peau, des joues, des tétons, des jambes de cerf, des cuisses et des fesses à modeler. Elle aurait eu, tôt ou tard, le fermier général, tout au moins. C'était une démarche, une croupe! ah Dieu quelle croupe!

Puis le voilà qui se met à contrefaire la démarche de sa femme; il allait à petit pas; il portait sa tête au vent; il jouait de l'éventail; il se démenait de la croupe; c'était la charge de nos petites coquettes la plus plaisante et la plus ridicule.

Puis reprenant la suite de son discours, il ajoutait; «Je la promenais partout, aux Tuileries, au Palais-Royal, aux Boulevards[1]. Il était impossible qu'elle me demeurât. Quand elle traversait la rue, le matin, en cheveux, et en pet-en-l'air[2], vous vous seriez arrêté pour la voir, et vous l'auriez embrassée entre quatre doigts, sans la serrer. Ceux qui la suivaient, qui la regardaient trotter avec ses petits pieds; et qui mesuraient cette large croupe dont ses jupons légers dessinaient la forme, doublaient le pas; elle les laissait arriver; puis elle détournait prestement sur eux, ses deux grands yeux noirs et brillants qui les arrêtaient tout court. C'est que l'endroit de la médaille ne déparait pas le revers. Mais hélas je l'ai perdue; et mes espérances de fortune se sont toutes évanouies avec elle. Je ne l'avais prise que pour cela, je lui avais confié mes projets; et elle avait trop de sagacité pour n'en pas concevoir la certitude, et trop de jugement pour ne les pas approuver.»

Et puis le voilà qui sanglote et qui pleure, en disant; «Non, non je ne m'en consolerai jamais. Depuis j'ai pris le rabat et la calotte[3].»

MOI: De douleur?

LUI: Si vous voulez; mais le vrai, pour avoir mon

écuelle sur ma tête. Mais voyez un peu l'heure qu'il est, car il faut que j'aille à l'Opéra.

MOI : Qu'est-ce qu'on donne?

LUI : Le Dauvergne[1]. Il y a d'assez belles choses dans sa musique; c'est dommage qu'il ne les ait pas dites le premier. Parmi ces morts, il y en a toujours quelques-uns qui désolent les vivants. Que voulez-vous? *quisque suos patimur manes*[2]. Mais il est 5 heures et demie. J'entends la cloche qui sonne les vêpres de l'abbé de Canaye[3] et les miennes. Adieu, monsieur le philosophe. N'est-il pas[a] vrai que je suis toujours le même.

MOI : Hélas oui, malheureusement.

LUI : Que j'aie ce malheur-là seulement encore une quarantaine d'années — rira bien qui rira le dernier[b].

DOSSIER

CHRONOLOGIE

1713-1784

1713. *5 octobre :* naissance de Denis à Langres, sur le plateau
champenois. « Les habitants de ce pays ont beaucoup
d'esprit, trop de vivacité, une inconstance de girouette.
Cela vient, je crois, des vicissitudes de leur atmosphère
qui passe en vingt-quatre heures du froid au chaud, du
calme à l'orage, du serein au pluvieux [...]. Pour moi, je
suis de mon pays : seulement le séjour de la capitale, et
l'application assidue m'ont un peu corrigé. »
Son père, Didier Diderot, né en 1685, est artisan coute-
lier, il est reconnu pour sa fabrication d'instruments
chirurgicaux. La mère, Angélique Vigneron, née en
1677, appartient aussi au monde artisanal. Parmi les
oncles maternels, l'un est chanoine de la cathédrale,
l'autre curé à quelques kilomètres de Langres.

1715. Naissance d'une sœur, Denise, à qui Diderot resta toute
sa vie tendrement attaché.

1720. Naissance d'une autre sœur, Angélique. Denis, l'aîné,
est parrain.

1722. Naissance du benjamin, Didier-Pierre, futur prêtre et
chanoine.

1723. Denis entre chez les jésuites de Langres. Ses maîtres
sont satisfaits de lui. Il fait aussi l'apprentissage des
combats de la vie : « Telle était de mon temps l'éducation provinciale. Deux cents enfants se partageaient en
deux armées. Il n'était pas rare qu'on en rapportât chez
leurs parents de grièvement blessés. »

1726. Il reçoit la tonsure, il peut désormais se faire appeler abbé et porter le manteau court.

1728. Prix de vers latins et de version. «Un des moments les plus doux de ma vie, ce fut [...] lorsque mon père me vit arriver du collège, les bras chargés des prix que j'avais remportés et les épaules chargées des couronnes qu'on m'avait données et qui, trop larges pour mon front, avaient laissé passer ma tête. Du plus loin qu'il m'aperçut, il laissa son ouvrage, il s'avança sur sa porte et se mit à pleurer.»

1729. Son père vient l'installer à Paris. Denis fréquente les collèges Louis-le-Grand et Harcourt, il veut devenir jésuite.

1732. Il est reçu maître ès arts de l'Université de Paris.

1735. Il est reçu bachelier en théologie, mais n'obtient pas de bénéfice dans le diocèse de Langres. Il se tourne vers le droit.

1736. Clerc de procureur chez François-Clément de Ris, Langrois d'origine.
       Il est surveillé par un cousin, le frère Ange, pour le compte de son père. «Mais que voulez-vous donc être? — Ma foi, rien, mais rien du tout. J'aime l'étude; je suis fort heureux, fort content: je ne demande pas autre chose.»

1737. Le père coupe les vivres et Diderot multiplie les petits emplois, comme précepteur, professeur de mathématiques, journaliste, traducteur. Toutes les carrières restent possibles.

1741. Il fait la connaissance de la fille de sa lingère, Anne-Toinette Champion, née en 1710. «J'arrive à Paris. J'allais prendre la fourrure et m'installer parmi les docteurs de Sorbonne. Je rencontre sur mon chemin une femme belle comme un ange; je veux coucher avec elle, j'y couche; j'en ai quatre enfants; et me voilà forcé d'abandonner les mathématiques que j'aimais, Homère et Virgile que je portais toujours dans ma poche, le théâtre pour lequel j'avais du goût.»

1742. Il traduit l'*Histoire de la Grèce* de Temple Stanyan, fait paraître un premier poème dans *Le Perroquet, ou*

Mélanges de diverses pièces, renonce à la théologie, visite ses parents à Langres. Son cadet s'engage dans une carrière ecclésiastique et une de ses sœurs est religieuse.

1743. *1er février:* le père Diderot écrit à Mme Champion mère pour la persuader de faire renoncer sa fille à l'idée d'un mariage. De son côté, il fait enfermer son fils dans un couvent. Denis s'enfuit. «Je me suis jeté par les fenêtres, la nuit du dimanche au lundi. J'ai marché jusqu'à présent que je viens d'atteindre le coche de Troyes qui me transportera à Paris.»

6 novembre: mariage clandestin à Saint-Pierre-aux-Bœufs, dans l'île de la Cité.

1744. Diderot traduit le *Dictionnaire universel de médecine* du Dr James. «Il venait d'entreprendre cette besogne, racontera sa fille, quand le hasard lui amena deux hommes : l'un était Toussaint, auteur d'un petit ouvrage intitulé *Les Mœurs*, l'autre un inconnu [Eidous]; mais tous deux sans pain et cherchant de l'occupation. Mon père, n'ayant rien, se priva des deux tiers de l'argent qu'il pouvait espérer de sa traduction, et les engagea à partager avec lui cette petite entreprise.»

1745. Traduction de *An Inquiry concerning Virtue and Merit* de Shaftesbury, sous le titre de *Principes de philosophie morale, ou Essai sur le mérite de la vertu.*

1746. Publication clandestine des *Pensées philosophiques.* Le livre est condamné par le Parlement à être «lacéré et brûlé» comme «scandaleux, contraire à la religion et aux bonnes mœurs».

Liaison avec Mme de Puisieux qui commence une carrière d'auteur.

1747. Rédaction de *La Promenade du sceptique* (qui ne sera publiée qu'après la mort de Diderot).

Diderot, né en 1713, est lié avec Jean-Jacques Rousseau le Genevois (de 1712), d'Alembert l'enfant trouvé (de 1717) et Condillac le Lyonnais (de 1714).

Contrat de Diderot et d'Alembert ave Lebreton et trois autres libraires pour la direction de l'*Encyclopédie.*

1748. Publication des *Mémoires sur différents sujets de mathé-*

matiques et diffusion clandestine des *Bijoux indiscrets*. Mort de sa mère : Diderot ne retourne pas à Langres. Son père ignore toujours son mariage.

1749. *9 juin :* publication de la *Lettre sur les aveugles à l'usage de ceux qui voient*.

24 juillet : perquisition de son appartement et arrestation. Il reste prisonnier au donjon de Vincennes jusqu'au 21 août, puis au château jusqu'au 3 novembre. C'est là que Rousseau vient lui rendre visite : « Je le trouvai très affecté de sa prison. Le donjon lui avait fait une impression terrible, et quoiqu'il fût fort agréablement au château et maître de ses promenades dans un parc qui n'est pas même fermé de murs, il avait besoin de la société de ses amis pour ne pas se livrer à son humeur noire. » Sur le chemin de Vincennes, Rousseau a l'illumination de la thèse qu'il va développer tout au long de sa vie ; il compose sous un chêne la prosopopée de Fabricius — point de départ du *Discours sur les sciences et les arts* — et va la lire à Diderot.

1750. Le *Discours sur les sciences et les arts* de Rousseau est couronné par l'Académie de Dijon.

Prospectus de l'*Encyclopédie* qui lance la souscription. Rencontre avec un jeune Allemand, Friedrich Melchior Grimm, venu à Paris comme précepteur et bien décidé à y faire carrière.

1751. Publication avec permission tacite de la *Lettre sur les sourds et muets à l'usage de ceux qui entendent et qui parlent*.

En réponse aux critiques que le *Journal de Trévoux* fait du prospectus, Diderot rend publiques deux lettres au R.P. Berthier, jésuite. Le premier tome de l'*Encyclopédie* paraît le 28 juin. Agitation autour de l'entreprise. Diderot est nommé membre de l'Académie de Berlin.

1752. *Janvier :* publication du tome II.

Un collaborateur de l'*Encyclopédie*, l'abbé de Prades, est censuré par la Sorbonne. Le privilège de l'*Encyclopédie* est annulé. Mme de Pompadour et le comte d'Argenson interviennent pour faire supprimer tacitement l'arrêt.

Mai-juin: voyage à Langres de Diderot, rejoint par Mme Diderot. Réconciliation générale.

Août: représentation de *La Serva padrona* de Pergolèse qui déclenche la querelle des Bouffons. Rousseau, d'Holbach, Grimm, Diderot s'engagent en faveur de la musique italienne contre la tradition française. Rousseau fait jouer *Le Devin du village.*

1753. *2 septembre:* naissance de Marie-Angélique, le seul enfant de Diderot qui survivra; elle deviendra Mme de Vandeul.

Octobre: tome III de l'*Encyclopédie.*

Décembre: publication avec permission tacite des *Pensées sur l'interprétation de la nature.*

Grimm prend la direction de la *Correspondance littéraire,* périodique manuscrit destiné aux têtes couronnées d'Europe.

1754. Séjour à Langres.

Tome IV de l'*Encyclopédie* et nouveau contrat avec les libraires. Diderot va pouvoir installer sa famille rue Taranne (rue qui a disparu, à l'emplacement du boulevard Saint-Germain, non loin de l'actuelle statue du philosophe).

D'Alembert est élu à l'Académie française.

1755. Mort de Montesquieu. Le tome V de l'*Encyclopédie,* en novembre, s'ouvre sur un éloge du défunt par d'Alembert. Publication de *L'Histoire et le secret de la peinture en cire.*

Liaison avec Louise Henriette Volland que Diderot appelle Sophie.

1er novembre: tremblement de terre de Lisbonne, crise de conscience des philosophes européens.

1756. Tome VI de l'*Encyclopédie.*

Diffusion dans la *Correspondance littéraire* d'une *Lettre à M. Landois sur la liberté et la nécessité,* ainsi qu'une *Lettre à M. Pigalle sur le mausolée du maréchal de Saxe.* Diderot fait la connaissance de Mme d'Épinay, la maîtresse de Grimm.

1757. *Janvier:* attentat contre Louis XV; Damiens est écartelé en mars; raidissement du pouvoir.

Attaques contre l'*Encyclopédie*. Palissot publie les *Petites Lettres sur de grands philosophes*.

Publication du *Fils naturel* et des *Entretiens sur le Fils naturel*. Un pamphlet attaque Diderot : *Le Bâtard légitimé, ou le triomphe du comique larmoyant avec un examen du «Fils naturel»*.

Tome VII de l'*Encyclopédie* avec l'article «Genève» dans lequel d'Alembert critique l'interdiction du théâtre dans la cité de Calvin. Tension entre Rousseau et Diderot.

1758. Rousseau publie la *Lettre à d'Alembert sur les spectacles* et rompt avec le clan encyclopédique. Helvétius publie *De l'esprit*, qui fait scandale.

Publication du *Père de famille*, avec un discours sur la *poésie dramatique*.

1759. Après la révocation du privilège de l'*Encyclopédie*, condamnation de l'entreprise par le pape, mais obtention d'un privilège pour les planches.

10 mai : première lettre connue à Sophie Volland.

3 juin : mort du père, voyage à Langres.

Rédaction du premier *Salon* de Diderot pour la *Correspondance littéraire*.

1760. Rédaction de *La Religieuse*.

Palissot fait jouer une pièce satirique contre les encyclopédistes, *Les Philosophes*.

1761. Première du *Père de famille* à la Comédie-Française.

Mort de Samuel Richardson, rédaction d'un *Éloge de Richardson* publié dans le *Journal étranger* en janvier 1762.

Salon de 1761.

Début vraisemblable de la rédaction du *Neveu de Rameau*.

1762. Parution officielle du premier volume de planches et diffusion clandestine de la suite des volumes d'articles de l'*Encyclopédie*. Catherine II propose de poursuivre l'impression en Russie : «L'*Encyclopédie* trouverait ici un asile assuré contre toutes les démarches de l'envie.» Diderot écrit à Voltaire qui l'en félicite : «C'est un énorme soufflet pour nos ennemis que la proposition de l'Impératrice de Russie.» Mais le philosophe décline l'invitation.

1763. *Salon de 1763.*

Lettre historique et politique sur le commerce de la librairie, lettre adressée à Sartine, nouvellement nommé comme Directeur général de la Librairie et de l'Imprimerie.

1764. Diderot découvre la censure que Lebreton a exercée sur les derniers volumes de l'*Encyclopédie*. Grimm témoigne : « Il se mit à revoir les meilleurs articles tant de sa main que de ses meilleurs aides, et trouva presque partout le même désordre, les mêmes vestiges du meurtrier absurde qui avait tout ravagé. Cette découverte le mit dans un état de frénésie et de désespoir que je n'oublierai jamais. » Diderot écrit à Lebreton : « Vous ne savez pas combien de mépris vous aurez à digérer de ma part. Je suis blessé jusqu'au tombeau. » Il renonce pourtant à quitter l'*Encyclopédie*.

1765. Sur la suggestion de Grimm, Catherine II achète en viager la bibliothèque de Diderot et décide de lui verser une rente annuelle de 1 000 livres. Elle organise une campagne médiatique pour faire savoir son geste de générosité à travers l'Europe : Dorat compose une *Épître à Catherine II*, Pierre Légier une *Épître à Diderot*.

Juillet : « Sur Térence » dans la *Gazette littéraire de l'Europe*.

Septembre : achèvement de l'*Encyclopédie*.

Salon de 1765.

Décembre : début d'un échange de lettres sur la postérité, qui se poursuivra jusqu'en avril 1767 avec Falconet. Falconet joue les cyniques, Diderot défend le principe d'une survie toute laïque après la mort et d'un jugement dernier strictement humain.

1766. Rédaction des *Essais sur la peinture pour faire suite au Salon de 1765* (publication en 1796). Diderot recommande Falconet à Catherine II. Le sculpteur part à Saint-Pétersbourg pour faire la statue de Pierre le Grand. La tsarine en retard dans le versement de la rente à son « bibliothécaire » lui fait verser cinquante ans d'avance.

1767. *Janvier* : promotions des frères Diderot : l'abbé est nommé chanoine de la cathédrale de Langres, et le philosophe membre de l'Académie impériale des arts de Saint-Pétersbourg.

Rédaction du *Salon de 1767* qui va durer une bonne partie de l'année suivante.

1768. Longues missives à une comédienne, Mlle Jodin, et à Falconet. Les lettres à Sophie sont désormais adressées conjointement à la mère et à ses deux filles, « Mesdames et bonnes amies ».

Septembre-octobre : Mystification (publication posthume).

Décembre : vente de la collection Gaignat. Diderot achète plusieurs tableaux pour le compte de Catherine II.

1769. Diffusion des *Regrets sur ma vieille robe de chambre* dans la *Correspondance littéraire*.

Mai : Grimm part en voyage et laisse la responsabilité de la *Correspondance littéraire* à Mme d'Épinay et à Diderot.

Rédaction du *Rêve de d'Alembert*.

Diderot fait paraître les *Dialogues sur le commerce des blés* de l'abbé Galiani qui a quitté Paris. Il renonce à participer au *Supplément* de l'*Encyclopédie*.

Villégiature d'été à Sèvres qui deviendra sa résidence d'été jusqu'à sa mort.

Salon de 1769.

Rédaction de *Garrick ou les acteurs anglais*, origine du *Paradoxe sur le comédien*.

Flambée amoureuse pour Mme de Maux.

1770. Rédaction des *Principes philosophiques sur la matière et le mouvement.*

Probable participation au *Système de la nature* du baron d'Holbach et participation certaine à l'*Histoire des deux Indes* de l'abbé Raynal.

Fiançailles d'Angélique Diderot avec Abel François Nicolas Caroillon de Vandeul, fils d'amis d'enfance de Langres. Diderot retourne dans son pays natal avec Grimm, il retrouve à Bourbonne son amie Mme de Maux et la fille de celle-ci. Il compose *Les Deux Amis de Bourbonne.*

1771. Publication de l'*Apologie de Galiani*, réponse aux critiques faites par Morellet aux *Dialogues sur le commerce des blés.*

Diffusion dans la *Correspondance littéraire* de l'*Entre-*

tien d'un père avec ses enfants. Première version de
Jacques le Fataliste.
Diderot édite les *Leçons de clavecin* de Bemetzrieder.
Salon de 1771.
Rousseau fait des lectures des *Confessions*, Mme d'Épi-
nay en demande l'interdiction.

1772. Publication du traité d'Helvétius, décédé l'année précédente, *De l'homme*, et de la *Lettre sur l'homme et ses
rapports* d'Hemsterhuis. Diderot fera la réfutation des
deux textes.
*Essai sur le caractère, les mœurs et l'esprit des femmes
dans les différents siècles* de Thomas. Diderot réagit
avec *Sur les femmes.*
Parution à Amsterdam des *Œuvres philosophiques de
M. D**** qui lui attribuent de nombreux textes qui ne
sont pas de lui et des *Œuvres philosophiques et dramatiques de M. Diderot.*
9 septembre: mariage d'Angélique à Saint-Sulpice. Diderot écrit à Grimm: «Ah, mon ami, quel moment! Si
j'avais à refaire *Le Père de famille*, je vous ferais
entendre bien d'autres choses!» Le 13, il adresse à sa
fille une longue lettre de direction morale: «Je vous
ordonne de serrer cette lettre, et de la relire au moins
une fois par mois. C'est la dernière fois que je vous dis
Je le veux.»

1773. *Ceci n'est pas un conte, Madame de La Carlière, Supplément au Voyage de Bougainville* dans la *Correspondance
littéraire.*
Les Deux Amis de Bourbonne et l'*Entretien d'un père
avec ses enfants* paraissent avec les *Nouvelles idylles* de
Gessner, en allemand, puis en français à Zurich.
*Collection complète des œuvres philosophiques, litté-
raires et dramatiques de M. Diderot* qui contient plusieurs textes qui ne sont pas de lui.
11 juin: départ de Paris pour la Hollande et la Russie
où il veut aller remercier la tsarine de ses bontés.
Séjour à La Haye, chez Galitzine, ambassadeur de Russie.
Rédaction des *Réfutations* d'Helvétius et d'Hemsterhuis, ainsi que du *Paradoxe sur le comédien.*

20 août : départ de La Haye, traversée de l'Allemagne, en évitant Berlin et Frédéric II.

8 octobre : arrivée à Saint-Pétersbourg. Accueil décevant de Falconet. Entretiens quotidiens avec Catherine II. Grimm écrit à un ami : «Il est cependant avec elle tout aussi singulier, tout aussi original, tout aussi Diderot qu'avec vous. Il lui prend la main comme à vous ; il lui secoue les bras comme à vous, il s'assied à ses côtés comme chez vous ; mais, en ce dernier point, il obéit aux ordres souverains et vous jugez bien qu'on ne s'assied vis-à-vis de Sa Majesté que quand on y est forcé. » Catherine aurait rapporté à Mme Geoffrin : «Votre Diderot est un homme extraordinaire ; je ne me tire pas de mes entretiens avec lui sans avoir les cuisses meurtries et toutes noires. »

1774. *5 mars :* départ de Saint-Pétersbourg pour La Haye. Rédaction de l'*Entretien d'un philosophe avec Mme la maréchale de ****, des *Principes de politique des souverains*, des *Observations sur le Nakaz*. *21 octobre :* retour à Paris.

1775. Diderot envoie à Catherine II un *Plan d'une université pour le gouvernement de Russie*. *Salon de 1775*.

1776. Longs séjours en dehors de Paris, à Sèvres chez le joaillier Étienne Belle, au Grandval, près de Boissy-Saint-Léger, chez d'Holbach. Pigalle sculpte son buste. «Je mourrai vieil enfant. Il y a quelques jours, je me suis fendu le front chez Pigalle contre un bloc de marbre ; après cette belle aventure j'allais voir ma fille ; sa petite fille qui a trois ans et qui me vit une énorme bosse à la tête, me dit : Ah, ah, grand-papa, tu te cognes donc aussi le nez contre les portes. »

1777. Diffusion dans la *Correspondance littéraire* des *Pensées détachées sur la peinture, la sculpture, l'architecture et la poésie pour faire suite aux salons*. Diderot travaille pour la nouvelle édition de l'*Histoire des deux Indes* de Raynal. Il prépare une édition de ses *Œuvres*, il met en ordre, récrit, fait copier. *La Pièce et le prologue*, première version d'*Est-il bon? est-il méchant?*.

1778. Retour de Voltaire à Paris pour son apothéose et sa mort. Décès de Rousseau, peu de temps plus tard.
Diderot travaille à un *Essai sur Sénèque* qui paraît comme dernier volume d'une traduction des *Œuvres* de Sénèque par Lagrange.

1781. Déçu par l'arrivisme et le conformisme de Grimm, Diderot prend la défense du radicalisme de Raynal: *Lettre apologétique de l'abbé Raynal à M. Grimm.*
21 mai: la troisième édition de l'*Histoire des deux Indes* est condamnée et Raynal décrété de prise de corps.
Dernier *Salon* où Diderot fait l'éloge de David.
Sa santé se dégrade.

1782. Publication d'une nouvelle version de l'*Essai sur Sénèque*, devenu *Essai sur les règnes de Claude et de Néron*. «M. Diderot a craint un moment la Bastille pour son essai sur l'empereur Claude. J'y ai trouvé, a dit le Roi au Garde des sceaux, des notes allusives à la conduite de l'auguste amant de Mme Du Barry, grondez beaucoup l'auteur, mais ne lui faites point de mal» (Metra, *Correspondance secrète*).

1783. La *Correspondance littéraire* commence à publier la *Réfutation d'Helvétius* et la poursuivra jusqu'en 1786.
15 avril: mort de Mme d'Épinay.
Septembre: «Nous sommes sur le point de perdre MM. d'Alembert et Diderot: le premier d'un marasme joint à une maladie de vessie; le second d'une hydropisie» (Meister).
29 octobre: mort de d'Alembert qui a refusé les derniers sacrements. L'Église prétend empêcher son inhumation.

1784. *22 février:* mort de Sophie Volland.
Mi-juillet: Diderot emménage dans un bel appartement loué par Catherine II rue de Richelieu, dans une paroisse dont le curé est compréhensif. Celui-ci rend visite au malade et lui propose une «petite rétractation» de ses livres qui ferait «un fort bel effet dans le monde». «Je le crois, M. le curé, mais convenez que je ferais un impudent mensonge.»
31 juillet: mort de Diderot.
1er août: inhumation à l'église Saint-Roch.

NOTICE

Notre texte

Depuis sa découverte en 1890 par Georges Monval, bibliothécaire de la Comédie-Française, chez un bouquiniste sur le quai Voltaire, au milieu d'une collection d'environ trois cents volumes de tragédies, le manuscrit autographe de la *Satyre 2nde* fait autorité et sert de texte de base. Il donne un texte plus complet et souvent meilleur que celui de Saint-Pétersbourg et surtout que celui des copies Vandeul (B.N.F.). Il s'agit d'une mise au net et du dernier état contrôlé par l'auteur, sans doute à l'époque où il fait copier l'ensemble de ses œuvres pour Catherine II. Le manuscrit est aujourd'hui la propriété de la Pierpont Morgan Library à New York. Il a été édité excellemment par Georges Monval (Plon-Nourrit, 1891), puis de façon critique par Jean Fabre (Droz-Giard, 1950), par Jacques Chouillet (Imprimerie nationale, 1982) et par Henri Coulet (Hermann, 1989). Jacques Chouillet puis Henri Coulet ont proposé d'améliorer sur des points de détail la lecture de Jean Fabre. Le manuscrit est lisible sans difficulté si ce n'est les corrections et ajouts qui sont pour certains de la main de Diderot, et pour d'autres d'une main étrangère. Il s'agit donc de respecter tout ce qui marque une volonté de Diderot et d'écarter les transformations ultérieures du texte qui risquent d'en être des altérations. Nous avons ici même modernisé l'orthographe et discrètement normalisé la ponctuation, en ajoutant des points d'interrogation à la fin des questions, des points et des virgules là où ils ne sont plus visibles sur le manuscrit ou bien où l'écrivain n'a pas pris le temps de les marquer ni lors de sa première copie, ni lors de sa relecture. Nous ne mettons pas entre crochets ces interventions de notre part, imposées par la facilité de lecture.

Dans l'«Histoire du texte» de l'édition de J. Chouillet, on trouvera sous forme de tableaux la liste des principales variantes entre le manuscrit autographe et les autres manuscrits (p. 39), ainsi que celle des altérations apportées sur les copies Vandeul pour raison de convenance morale ou sociale (p. 43-46), pour raison de bienséance ou de pudibonderie (p. 47) ou de simple goût personnel (p. 48). On trouvera dans la «Note» d'H. Coulet une précieuse description des différents manuscrits et des types d'intervention sur l'autographe (D.P.V., XII, 52), suivie par une analyse des particularités orthographiques du texte (p. 52-53). H. Coulet a fréquemment justifié dans son annotation ses choix de lecture, de prise ou non en compte d'une correction. Il est difficile de trouver à redire à cette acribie.

En plus du manuscrit autographe (noté autographe), nous disposons donc de la copie qui en a été tirée par Girbal et qui se trouve aujourd'hui à la Bibliothèque nationale de Russie à Saint-Pétersbourg (que nous continuons à noter *L* suivant la tradition) et de trois copies dans le fonds Vandeul de la Bibliothèque nationale de France : *V1* (N.a.fr. 13760), *V2* (N.a.fr. 13761), *V3* (N.a.fr. 13754), *V* (accord des trois manuscrits). Le plus grand nombre des variantes concerne des changements du singulier et du pluriel, de l'article défini et indéfini ou la présentation des interlocuteurs dans les dialogues seconds (par tirets ou par points de suspension). Nous n'avons pas systématiquement relevé ces différences. Les manuscrits Vandeul ont été soigneusement censurés de leurs noms propres, souvent réduits à une initiale ou remplacés par d'autres, et de tout ce qui pouvait choquer le lecteur. Nous n'avons pas noté les biffures, effacements et grattages, mais indiqué les noms ou les expressions proposés pour remplacer ceux du texte original. Nous avons surtout noté les variantes qui marquent les obscurités de Diderot et les hésitations des copistes sur le sens de son texte (voir variantes p. 51, 96, 105, 143). Exceptionnellement, nous renvoyons à l'édition Brière de 1823.

La complexité des niveaux de discours, l'enchevêtrement des répliques de type théâtral et des répliques caractéristiques du discours romanesque permettent à Diderot de jouer sur les frontières fluctuantes de l'écrit et de l'oral. Comment jouer pareillement sur celles du manuscrit et de la typographie imprimée ? Nous avons introduit des guillemets modernes pour les paroles rapportées à l'intérieur du récit ou d'une tirade, et séparé uniformément les interventions des interlocuteurs par un tiret long. Ce type de tiret distingue également le passage du dialogue entre Lui et Moi des dialogues, imaginaires ou rapportés, de Lui avec tel autre personnage. Mais les hésitations du lecteur et le risque de confusion appartiennent de plein droit au texte et à ses effets que la clarté typographique ne doit pas faire complètement disparaître.

Je remercie particulièrement de leur générosité Henri Coulet qui a mis à ma disposition une copie du manuscrit autographe du *Neveu* et Didier Kahn qui m'a prêté celle du manuscrit autographe de *Lui et Moi*.

Illustrations

La force de suggestion du texte a poussé les éditeurs à donner un visage à Jean-François Rameau. La retraduction de la version de Goethe en 1821 présente en frontispice un portrait imaginaire du Neveu, un violon sous le bras et l'archet vertical dans l'autre main (*Album Diderot*, n° 240 ; voir ici p. 69 et n. 3). Sur la gravure à l'eau-forte de F. Dubouchet d'après un dessin d'A. Hirsch qui accompagne l'édition publiée par A. Storck en 1875, le Neveu, au contraire, joue du violon sans instrument réel dans le café de la Régence. Le Philosophe est assis, les joueurs d'échecs ont levé la tête et les passants se sont arrêtés pour regarder par la fenêtre. Le personnage est saisi au milieu de sa pantomime. L'édition de Gustave Isambert en 1883 est illustrée de trois gravures de Saint-Elme Gauthier : un portrait réel de Jean-François Rameau par J. G. Wille (1715-1808), nettement plus jeune, plusieurs années avant la rencontre avec Diderot (*Album Diderot*, n° 200), la leçon de musique donnée dans un intérieur aisé et une improvisation au café. Dans ces deux scènes, l'une en intérieur, l'autre en public, Lui est caractérisé par un rouleau de papiers, sans doute des partitions, qui sort de sa poche, image de ses ambitions et de ses échecs. L'année suivante, l'édition de Maurice Tourneux est illustrée d'un portrait de Diderot et de sept gravures de F.-A. Milius où M. Tourneux note d'«heureuses réminiscences de Gravelot et Moreau le jeune». On voit successivement:

— le Neveu dans la pantomime du clavecin, sans instrument réel, au milieu des joueurs d'échecs qui restent absorbés par leur partie,

— le même dans l'écurie d'un grand seigneur où il va devoir passer la nuit,

— l'enlèvement d'une jeune bourgeoise par un seigneur dont la voiture attend dans le petit jour qui pointe,

— le Neveu donnant sa leçon de musique, avec la mère de son élève en spectatrice,

— un repas aux chandelles chez Bertin et Mlle Hus, durant lequel le Neveu interpelle l'abbé: «Comment! vous présidez»,

— la fuite du renégat qui abandonne la maison du négociant juif endormi et qui se dirige vers le bateau qu'on aperçoit dans l'embrasure de la porte,

— Mme Rameau qui sort dans la rue, le matin, en cheveux et en pet-en-l'air, le visage engageant et l'éventail prêt aux effets (*Album Diderot*, n° 201).

La première scène est encore celle du dialogue, les suivantes nous installent dans les narrations du Neveu, représentées comme dans un récit romanesque.

Bernard Naudin croque pour l'édition Blaizot de 1924 un Neveu gesticulant au café (*Album Diderot*, n° 241). La minuscule édition in-32° dans la collection «Les Roses de France» aux Éditions de l'abeille d'or en 1927 est ornée, en premier plat de couverture, des interlocuteurs, Moi assis et Lui debout qui vient le solliciter; en quatrième, d'une table de joueurs d'échecs. L'édition de luxe grand in-quarto de 1946, aux Éditions Monceau, est illustrée par Philippe Ledoux:

— un portrait de Diderot,

— deux vignettes en tête et fin de volume, un damier d'échecs sur une table de café et des instruments de musique,

— la rencontre des interlocuteurs, le Neveu abordant le Philosophe, au milieu des tables encombrées d'un café, sans doute inspirée par le dessin qu'a fait Binet du café Procope pour les *Mémoires philosophiques* de Berthon de Crillon, 1777 (*Album Diderot*, n° 194),

— une boutique de libraire, illustrant sans doute la postérité des grands écrivains,

— l'écurie d'un grand seigneur, le Neveu y pérore devant deux domestiques,

— la leçon de musique entre la fille et la mère,

— le salon de Mlle Hus, en cercle autour de la cheminée, Lui discourt,

— la fuite du renégat d'Avignon sur une barque, s'approchant d'un trois-mâts qui va l'emporter et lui permettre de consommer son crime,

— une loge à l'Opéra où deux couples surannés s'ennuient à ce qu'on devine être la représentation d'une tragédie lyrique française,

— la pantomime du violon, sans instrument, tout le monde s'est levé et les passants sont à la fenêtre,

— une partie à la campagne parmi les privilégiés, un chien au premier rang, est-ce celui de Bouret?

— un grand personnage et sa compagne, sans doute le roi et Mme de Pompadour, la robe et le décor rappellent ceux de Maurice Quentin de La Tour dans son portrait de la favorite (*Album Diderot*, n° 65).

Cette douzaine de gravures développe l'inspiration de Milius en 1884. À travers ce choix, le Neveu est devenu le narrateur principal du texte.

L'Imprimerie nationale perpétue cette tradition dans l'édition procurée en 1982 par Jacques Chouillet et illustrée par Michel Otthoffer. Huit gravures suggèrent un Neveu, pantomime efficace, transformant son corps en diverses scènes et situations:

— en frontispice, Lui sur un damier d'échecs, en joueur ou pièce du jeu?,

— une grande silhouette rouge et trois petites silhouettes noires dans la grande comédie de la vie sociale,

— une silhouette rouge et une noire en position de solliciteur,

— le Neveu en entremetteur, en train de remettre une lettre à une jeune bourgeoise,

— la pantomime musicale (*Album Diderot*, nº 242),

— le Neveu en chef d'un orchestre imaginaire, bientôt épuisé par sa pantomime,

— le Neveu adorant le louis d'or,

— M. et Mme Rameau enlacés.

L'illustration élimine le décor, ignore Moi et se focalise sur le personnage-titre qui nous est montré comme il doit apparaître au Philosophe. L'épure éloigne les situations d'un xviiie siècle pittoresque et tend à conférer une valeur universelle au personnage.

Cette série d'interprétations graphiques, de 1821 à 1982, montre un Neveu en tension entre l'histoire et la fiction, entre un statut d'objet ou bien de sujet du discours.

DOCUMENT

Lui et Moi

Ce dialogue a été publié par Assézat et Tourneux au tome XVII des Œuvres complètes *(1875-1877)* à partir d'un manuscrit autographe qui est passé en vente au xxᵉ siècle et se trouve actuellement à la Fondation Martin Bodmer, à Cologny-Genève[1]. Le manuscrit comporte trois pages, comprenant quelques ratures. Après le paraphe final se trouve un paragraphe supplémentaire sur le formica-leo, présenté par Assézat comme une note rattachée au début du texte. Nous reproduisons le manuscrit tout en adoptant la même présentation que l'édition Assézat-Tourneux.

Dans une lettre à Falconet du 6 septembre 1768, Diderot revient sur les attaques dont il a été l'objet « dans [sa] famille, dans [ses] mœurs, dans [ses] liaisons, dans [ses] amis, dans [ses] ouvrages[2] ». Il n'y a répondu que par le silence. Il évoque l'ingratitude de Jean-Jacques Rousseau, puis celle d'un jeune littérateur. « J'avais retiré de la misère un jeune littérateur qui n'était pas sans talent. Je l'avais nourri, logé, chaussé, vêtu pendant plusieurs années. Le premier essai de ce talent que j'avais cultivé, ce fut une satire contre les miens et moi. Le libraire que je ne connaissais pas, plus honnête que l'auteur, m'envoya les épreuves et me proposa de supprimer l'ouvrage. Je n'eus garde d'accepter cette offre. La satire parut ; l'auteur eut l'impudence de m'en apporter lui-même le premier exemplaire. Je me contentai de lui dire : "Vous n'êtes qu'un ingrat. Un autre que moi vous

---

1. Je remercie Didier Kahn qui prépare une étude sur ce manuscrit de m'avoir généreusement communiqué son dossier de travail.
2. *Correspondance*, t. VIII, p. 107.

*ferait jeter par les fenêtres. Mais je vous sais gré de m'avoir
bien connu. Reprenez votre ouvrage et portez-le à mes ennemis;
à ce vieux duc d'Orléans qui demeure de l'autre côté de ma
rue." J'habitais alors à l'Estrapade. La fin de ceci, c'est que je lui
dressai moi-même, contre moi, un placet au duc d'Orléans; que
le vieux fanatique lui donna cinquante louis; que la chose
se sut; et que le protecteur resta bien ridicule et le protégé
bien vil[1].»*

Le même personnage reparaît dans le Paradoxe sur le comédien, l'anecdote est ajoutée dans la version de 1773, car elle était
absente du premier article de 1770, «Observations sur une brochure intitulée: Garrick, ou les comédiens anglais». Elle se
déroule entre trois personnages, un littérateur dans le besoin,
son frère, théologal, qui refuse de le secourir, et Diderot qui
intervient auprès de celui-ci en faveur de son frère indigne.
«*Un littérateur appelé Rivière, était tombé dans l'extrême indigence. Il avait un frère du même nom, théologal de Notre-Dame
et riche. Je demandai à l'indigent pourquoi son frère riche ne
le secourait pas. C'est que j'ai, me répondit-il, de grands torts
avec lui. Après avoir entendu l'histoire de ces torts, j'obtins de
mon homme la permission d'aller voir monsieur le théologal.
J'y vais. J'entre. On m'annonce. Je dis au théologal que je venais
lui parler de son frère. Il me prend brusquement par la main,
me fait asseoir, et m'observe qu'il est d'un homme sensé de
connaître celui dont on se charge de plaider la cause; puis
m'apostrophant avec force: Connaissez-vous mon frère? — Je le
crois. — Êtes-vous instruit de ses procédés avec moi? — Je
le crois. — Vous le croyez? Vous savez donc?...» Et le théologal
de débiter toutes les indélicatesses et les scélératesses du personnage. Diderot répond par un mot théâtral qui suppose
une tentative de meurtre et vainc les résistances du théologal:
«Et quand cela serait vrai, est-ce qu'il ne faudrait pas encore
donner du pain à votre frère[2]?» Dans une version ultérieure,
Diderot a effacé le nom des protagonistes et donné une dimension générale à l'anecdote: «Un littérateur dont je tairai le
nom.»

Mme de Vandeul, dans des mémoires rédigés après la mort de

1. *Ibid.*, p. 109-110.
2. *Paradoxe sur le comédien*, Folio, p. 65-66.

son père, développe la scène, elle y ajoute de nombreux détails et finit par la comparaison avec le fourmi-lion. Diderot «avait ramassé, je ne sais où, un M. Rivière, beau, jeune, éloquent, ayant le masque de la sensibilité, le don des larmes, pauvre, malheureux: le quart de tout cela aurait suffi pour intéresser mon père. Il l'aida dans quelques ouvrages, et plusieurs fois lui donna quelques louis». Suivent l'entretien avec le frère ecclésiastique qui a manqué une place d'évêque à cause de lui, puis la discussion dans laquelle Diderot rend compte de son succès à Rivière. «Rivière s'arrête et dit à mon père: "Monsieur Diderot, savez-vous l'histoire naturelle? — Mais un peu; je distingue un aloès d'une laitue, et un pigeon d'un colibri. — Savez-vous l'histoire du Formica-leo? — Non. — C'est un petit insecte très industrieux: il creuse dans la terre, attire les insectes étourdis; il les prend, il les suce, puis il leur dit: Monsieur Diderot, j'ai l'honneur de vous souhaiter le bonjour." Mon père rit comme un fou de cette aventure. Quelque temps après il sort: un orage l'oblige d'entrer dans un café; il y trouve Rivière. Cet homme s'approche et lui demande comment il se porte. "Éloignez-vous, lui dit mon père; vous êtes un homme si méchant et si corrompu que si vous aviez un père riche, je ne le croirais pas en sûreté dans la même chambre avec vous. — Hélas! malheureusement je n'ai pas de père riche. — Vous êtes un abominable homme. — Allons donc, Philosophe, vous prenez tout au tragique[1]."»

L'anecdote a frappé les contemporains. On la retrouve à la date du 10 janvier 1778 dans la Correspondance secrète *de* Metra *qui met en scène Diderot et inclut la référence au fourmi-lion, puis en 1786 dans les* Délassements de l'homme sensible *de Baculard d'Arnaud qui ne nomme pas Diderot et noie les situations dans une phraséologie larmoyante[2]. Baculard efface la noirceur morale du frère indigent, tenté par le suicide, transforme le théologal en un riche homme pieux et appelle le philosophe d'un nom de convention, Timante. Il précise: «C'est le nom que nous prêterons à l'homme de lettres», et ajoute en note: «Rien de plus vrai que cette anecdote, et il y a peu de temps que nous avons eu le malheur de perdre cet homme de lettres, un des*

---

1. *Mémoires de Mme de Vandeul*; D.P.V., t. I, p. 26 et 27.
2. Ces rapprochements sont faits par Henri Coulet dans sa présentation de «Lui et Moi» (D.P.V., t. XII, p. 61-62).

plus éloquents, lorsque la sensibilité l'échauffait.» Le philo-
sophe apostrophe le riche insensible : «Et quand il se serait
souillé d'un assassinat, qu'il eût trempé ses mains dans le sang,
quand il eût porté l'oubli de la nature, de l'humanité jusqu'à
vouloir attenter à vos jours, enfoncer un poignard dans votre
cœur, serait-ce une raison (s'élevant avec une sorte de majesté) à
un chrétien, à un homme, de refuser du pain à son frère ?» Les
deux frères finissent par tomber dans les bras l'un de l'autre.
«Ah! monsieur (adressant la parole au littérateur) qu'il serait
heureux pour l'humanité qu'elle eût beaucoup d'interprètes
comme vous! que je reconnais le véritable homme de lettres[1]*!»*
Ce type de délayage met en valeur la force du style mais aussi de
la morale de Diderot.

L'intérêt de l'ébauche intitulée «Lui et Moi» est double par
rapport au Neveu de Rameau. *Elle souligne le travail de trans-*
formation de la réalité vécue en une fiction à valeur générale.
Ici, l'antagoniste du Philosophe n'a pas de nom, c'est un carac-
tère et un cas. «Je n'aime pas ces originaux-là», affirme Diderot
au début du Neveu de Rameau. *Jean-François Rameau est bien*
un crève-la-faim, prêt à vendre son âme au premier payeur,
parmi tant d'autres. Son personnage littéraire s'est nourri de
toutes les autres figures connues et subies par Diderot, de tous
les autres parasites qui traînent dans les bas-fonds de la grande
ville. «Lui et Moi» montre aussi le fossé moral qui sépare le Phi-
losophe et le Neveu. Si Moi accepte d'engager la conversation
avec Lui, il n'en est pas moins constamment tenté de rompre
l'échange.

LUI ET MOI

Personne n'a jamais su comme lui combien j'étais bête; il
doit, il m'emprunte de l'argent pour payer ses dettes et s'en
sert pour faire imprimer une satire contre moi. Avant que de

---

1. Baculard d'Arnaud, «Empire de l'éloquence du cœur», *Délassements de l'homme sensible, ou anecdotes diverses*, Paris, 1786, t. I,
p. 171, 182 et 185.

faire imprimer sa satire, il me la lit. Je lui montre qu'elle est mauvaise et il se sert de mes conseils pour la rendre meilleure. Quand il croit avoir tiré de moi tout le parti qu'un coquin peut tirer d'un sot, il vient me voir, il me dit qu'il est un coquin, me laisse clairement entendre que je suis un sot, me tire sa révérence et s'en va*.

Au bout de cinq à six mois, je le retrouve au coin de la rue Maçon². Il rasait le mur, il n'avait pas pour vingt sous de hardes sur tout son corps. Il était maigre, sale et hâve. Il paraissait accablé de misère et de vilaines maladies. Il m'arrête et nous causons.

MOI : Comme vous voilà !

LUI : Il est vrai que je suis fort mal.

MOI : Pardieu, je m'en réjouis.

LUI : Comment ? Vous vous en réjouissez ?

MOI : Assurément. Vous avez le sort que vous méritez et je vois qu'il faut tôt ou tard que justice se fasse.

LUI : Toujours de la gaieté et de l'imagination. Sans plaisanter, vous m'avez dit il y a quelque temps que s'il ne me manquait qu'une centaine de francs par an pour me soutenir et m'aider à reprendre la robe de palais, vous me les donneriez volontiers.

MOI : Je m'en souviens, mais j'ai changé d'avis.

LUI : Et pourquoi cela ?

MOI : C'est que vous êtes un brigand et qu'il y a dans la société vingt mille honnêtes gens qui souffrent.

LUI : Vous avez bien mauvaise opinion de moi.

MOI : Très mauvaise. Mais qu'est-ce que cela vous fait ?

LUI : Peu de chose.

MOI : Oh ! je sais que la seule chose que vous regrettiez, c'est l'argent que vous ne m'attraperez plus.

LUI : Vous ne savez pas combien vous êtes bon.

---

* Vous qui savez tout, savez-vous de l'histoire naturelle ? — Tout le monde en sait. -- Vous avez entendu parler du *formica-leo* ¹ ? — Oui. — C'est un petit animal fort adroit. Il établit sa demeure au fond d'un sable fin. Là il se fait une niche en entonnoir renversé. Il couvre la surface de cet entonnoir d'une surface de sable très légère et très mobile. Si un autre insecte inconsidéré vient se promener sur cette surface, il s'enfonce et tombe au fond du trou où le *formica-leo* s'en saisit, le dévore et lui dit : « Monsieur, je suis bien votre serviteur. »

MOI : Mais, en revanche, je sais combien vous l'êtes peu. À quel propos aussi me faire cet impertinent apologue de la fourmi et du fourmilion?

LUI : Vous pensez encore à cela?

MOI : Si j'y pense! cet apologue pouvait me coûter fort cher: il ne fallait que le différer jusqu'aujourd'hui, par exemple.

LUI : Le conseil est bon et j'en userai. Imaginerez-vous que dans l'état déplorable où vous me voyez j'ai fait un livre?

MOI : Une satire contre un bienfaiteur?

LUI : Ah! l'horreur!

MOI : C'est donc une apologie des persécuteurs ou des sang-sues de la nation[1]?

LUI : Ah! Ah!

MOI : Mais n'est-ce pas au moment où je vous empêchais de mourir de faim au coin d'une borne, ou sur la paille dans une prison, que vous avez fait imprimer *Les Zélindiens*[2]?

LUI : Qu'est-ce que cela?

MOI : Une satire contre mes amis et moi.

LUI : Et de qui cette satire?

MOI : De vous.

LUI : Cela n'est pas possible.

MOI : Vous êtes un impudent. Songez donc que vous me l'aviez lue manuscrite! Allons donc, à votre rôle! Il ne faut pas me dire : «Je ne sais pas ce que c'est que *Les Zélindiens*» mais: «Il est vrai que j'ai fait cette satire. Que voulez-vous? Je n'avais pas le sol, et ce coquin d'Hérissant[3], qui court après tout ce qu'on écrit contre les encyclopédistes, m'en offrait quatre louis.» Je suis homme à me payer de ces raisons. Si je fais la sottise de réchauffer un serpent, je ne serai pas surpris qu'il me pique.

LUI : Il fait un froid de diable. Si nous entrions au café?

MOI : Serviteur.

LUI : Ma foi! vous êtes un rare corps[4]. Entrons un moment. J'ai un plaisir infini à causer avec vous.

MOI : Moi, je ne saurais souffrir les gens sans caractère[5]. Quand on a le vice, encore faut-il savoir en tirer parti.

LUI : Entrons un moment et vous m'apprendrez tout cela.

MOI : Serviteur.

LUI : Quoi que vous pensiez de mon caractère, je ne néglige pourtant rien pour m'en donner un bon.

MOI : Temps perdu. Peut-être qu'avec plus d'intrépidité...

LUI : Eh bien! Que ferais-je?

MOI : Mais si vous aviez un père âgé qui vécût trop longtemps...

LUI : Je n'ai point de père.

À ce mot, l'horreur[1] me saisit. Je m'enfuis, lui me criant:
«Philosophe, écoutez donc, écoutez donc. Vous prenez les
choses au tragique.» Mais j'allais toujours et j'étais bien loin
de cet homme que je m'en croyais encore trop près. M. Le
Roy[2] m'a dit qu'il avait beaucoup de pareils. Ma foi, je ne saurais le croire.

BIBLIOGRAPHIE

Éditions isolées du Neveu de Rameau

Rameaus Neffe. Ein Dialog von Diderot. Aus dem Manuskript übersetzt und mit Anmerkungen begleitet von Goethe, Leipzig, Goeschen, 1805.

Le Neveu de Rameau, dialogue, ouvrage posthume, Delaunay, 1821 [retraduction en français de la version de Goethe par Joseph Henri de Saur et Saint-Geniès].

Le Neveu de Rameau, précédé d'une étude de Goethe sur Diderot ; suivi de l'analyse de *La Fin d'un monde et du Neveu de Rameau* de Jules Janin ; édité par Nestor David, Librairie de la Bibliothèque nationale, 1863.

Le Neveu de Rameau, texte revu d'après les manuscrits ; notice, notes, bibliographie par Gustave Isambert, A. Quantin, 1883.

Le Neveu de Rameau, satire, édition revue sur les textes originaux et annotée par Maurice Tourneux, Rouquette, 1884.

Le Neveu de Rameau, satyre. Publiée pour la première fois sur le manuscrit original autographe, par Georges Monval, accompagnée d'une notice par Ernest Thoinan, Plon-Nourrit, 1891.

Le Neveu de Rameau, éd. Jean Fabre, Droz-Giard, 1950 ; Genève, Droz, 1963.

Le Neveu de Rameau, éd. Roland Desné, Club des amis du livre progressiste, 1963 ; Éd. sociales, 1972 ; Messidor-Éditions sociales, 1984.

Le Neveu de Rameau et autres dialogues philosophiques, éd. Jean Varloot, Folio, 1972.

Le Neveu de Rameau, satire seconde, éd. Jacques Chouillet, Imprimerie nationale, 1982.

Le Neveu de Rameau, éd. Jean-Claude Bonnet, GF Flammarion, 1983.

Le Neveu de Rameau, suivi de *Satire première, Entretien d'un père avec ses enfants, Entretien d'un philosophe avec la maréchale de ****, éd. Pierre Chartier, Le Livre de poche classique, 2002 [Bibliographie des articles p. 312-316].

Éditions collectives des œuvres de Diderot

Œuvres de Denis Diderot, publiées sur les manuscrits de l'auteur par Jacques-André Naigeon, Desray-Déterville, an VI-1798, 15 vol.

Œuvres de Denis Diderot, Belin, 1818-1819, 7 vol. suivis d'un Supplément.

Œuvres, J.L.J. Brière, 1821-1823, 21 vol. [Le *Neveu*, t. XXI, 1823.]

Mémoires, correspondance et ouvrages inédits de Diderot publiés d'après les manuscrits confiés en mourant par l'auteur à Grimm, Paulin, 1830-1831, 4 vol.

Œuvres complètes, éd. Jules Assézat et Maurice Tourneux, Garnier, 1875-1877, 20 vol. [Le *Neveu*, t. V, 1875.]

Œuvres, éd. André Billy, Gallimard, Bibl. de la Pléiade, 1951.

Correspondance, éd. Georges Roth et Jean Varloot, Éd. de Minuit, 1955-1970, 16 vol.

Œuvres complètes, Roger Lewinter dir., Club français du livre [abrégé en C.F.L.], 1969-1975, 15 vol. [Le *Neveu*, t. X.]

Œuvres complètes, éd. Herbert Dieckmann, Jacques Proust et Jean Varloot [dite D.P.V.], Hermann, 33 vol., en cours de publication depuis 1975. [Le *Neveu*, éd. Henri Coulet, t. XII, 1989.]

Œuvres, éd. Laurent Versini, Laffont, coll. Bouquins, 1994-1997, 5 vol. [*Le Neveu*, t. II, 1994.]

Contes et romans, sous la direction de Michel Delon, Gallimard, Bibl. de la Pléiade, 2004.

Biographies et présentations générales

BONNET (Jean-Claude), *Diderot. Textes et débats*, Le Livre de poche, 1984.

CHOUILLET (Jacques), *Diderot*, SEDES, 1977.

DELON (Michel), *Album Diderot*, Bibl. de la Pléiade, 2004.

LEPAPE (Pierre), *Diderot* (1991), Flammarion, 1994.

TROUSSON (Raymond), *Diderot ou le vrai Prométhée*, Tallandier, 2005.

VERSINI (Laurent), *Denis Diderot, alias Frère Tonpla*, Hachette, 1996.

WILSON (Arthur), *Diderot, sa vie et son œuvre*, Laffont-Ramsay, coll. «Bouquins», 1985 [Biographie de référence; éd. originale: t. 1, 1957, t. 2, 1972].

Sur la philosophie de Diderot

BELAVAL (Yvon), *Études sur Diderot*, PUF, 2003.

BOURDIN (Jean-Claude), *Diderot. Le Matérialisme*, PUF, 1998.

DUFLO (Colas), *Diderot philosophe*, Champion, 2003.

FONTENAY (Élisabeth de), *Diderot ou le Matérialisme enchanté* (1981), Grasset, 2001 [«Une fugue jamais ne consolera le Neveu», p. 187-196].

HARTMANN (Pierre), *Diderot, la figuration du philosophe*, Corti, 2003. [Sur le *Neveu*, «Le philosophe à la marotte», p. 269-334.]

QUINTILI (Paolo), *La Pensée critique de Diderot. Matérialisme, science et poésie à l'âge de l'*Encyclopédie, Champion, 2001.

SCHMITT (Éric-Emmanuel), *Diderot ou la Philosophie de la séduction*, Albin Michel, 1997.

Réception et histoire des interprétations

PROUST (Jacques), *Lectures de Diderot*, Colin, 1974.

TROUSSON (Raymond), *Images de Diderot en France. 1784-1913*, Champion, 1997.

— *Diderot*, «Mémoire de la critique», Presses de l'Université de Paris-Sorbonne, 2005.

Quelques études sur Le Neveu de Rameau

BELLEGUIC (Thierry), «Figures et pouvoirs de l'abject: *Le Neveu de Rameau* ou les avatars de Narcisse», *Man and Nature. L'Homme et la Nature*, XI, 1992.

BENREKASSA (Georges), BUFFAT (Marc), CHARTIER (Pierre) éd., *Études sur «Le Neveu de Rameau» et le «Paradoxe sur le comédien»*, *Cahiers Textuel*, n° 11, 1992.

CHAPIRO (Florence) et GOLDZINK (Jean), «*Le Neveu de Rameau* après Michel Foucault», *Raisons politiques*, 17, février 2005.

CHOUILLET (Anne-Marie) éd., *Autour du «Neveu de Rameau»*, Champion, 1991.

CURTIUS (Ernst Robert), «Diderot et Horace», *La Littérature européenne et le Moyen Âge* (1948), PUF, 1956.

DELON (Michel), «Le Neveu de Rameau et la jolie femme», *Cultivateur de son jardin. Mélanges offerts à M. le Professeur Imre Vörös*, Budapest, Centre interuniversitaire d'études françaises, 2006.

DUCHET (Michèle) et LAUNAY (Michel) éd., *Entretiens sur «Le Neveu de Rameau»*, Nizet, 1967.

HOBSON (Marian), «Pantomime, spasme et parataxe: *Le Neveu de Rameau*», *Revue de métaphysique et de morale*, 89, avril-juin 1984.

JAUSS (Hans-Robert), «*Le Neveu de Rameau*, dialogique et dialectique», *Revue de métaphysique et de morale*, 89, avril-juin 1984, repris dans *Pour une herméneutique littéraire*, Gallimard, 1988.

JOSEPHS (Herbert), *Diderot's Dialogue of Language and Gesture: «Le Neveu de Rameau»*, Ohio State University Press, 1969.

MAGNAN (André), *Rameau le neveu. Textes et documents*, CNRS Éditions-Publications de l'Université de Saint-Étienne, 1993.

MELANÇON (Benoît), «La ménagerie Bertin était-elle un salon littéraire? Antiphilosophie et sociabilité au Siècle des lumières», *Les Dérèglements de l'art. Formes et procédures de l'illégitimité culturelle en France (1715-1914)*, Les Presses de l'Université de Montréal, 2000.

O'GORMAN (Donal), *Diderot the satirist: «Le Neveu de Rameau» and Related Works, an Analysis*, University of Toronto Press, 1971.

PROSCHWITZ (Gunnar von), «Mots qui font date dans *Le Neveu de Rameau*», *Idées et mots au siècle des Lumières*, Göteborg-Paris, Touzot, 1988.

PROUST (Jacques), «De l'*Encyclopédie* au *Neveu de Rameau*: l'objet et le texte», *Recherches nouvelles sur quelques écrivains des Lumières*, Genève, Droz, 1972.

PUJOL (Stéphane), «L'espace public du *Neveu de Rameau*», *Revue d'histoire littéraire de la France*, septembre-octobre 1983.

STAROBINSKI (Jean), «Le dîner chez Bertin», *Das Komische*, éd. W. Preisendanz et R. Warning, Munich, Wilhelm Fink, 1976.

— «L'incipit du *Neveu de Rameau*», *Nouvelle Revue Française*, 347, décembre 1981.

— «Sur l'emploi du chiasme dans *Le Neveu de Rameau*», *Revue de métaphysique et de morale*, 89, avril-juin 1984.

SUMI (Yoichi), *«Le Neveu de Rameau»: Caprices et logique du jeu*, France Tosho, diffusion A.G. Nizet, 1975.

Le Neveu de Rameau *et la musique*

BARDEZ (Jean-Michel), *Diderot et la musique. Valeur de la contribution d'un mélodrame*, Champion, 1975.

DURAND-SENDRAIL (Béatrice), *La Musique de Diderot. Essai sur le hiéroglyphe musical*, Kimé, 1994.

FABIANO (Andrea) éd., *La Querelle des bouffons dans la vie culturelle française du XVIIIe siècle*, CNRS Éditions, 2005.

HEARTZ (Daniel), «Diderot et le théâtre lyrique: le nouveau style proposé par *Le Neveu de Rameau*», *Revue de musicologie*, LXIV, 1978.

REBEJKOW (Jean-Christophe), «Nouvelles recherches sur la musique dans *Le Neveu de Rameau*», *Recherches sur Diderot et l'Encyclopédie*, 20, avril 1996.

SUMI (Yoichi), «L'enfant prodige et le musicien raté. Mozart et le Neveu de Rameau», *Ici et ailleurs: le dix-huitième siècle au présent. Mélanges offerts à Jacques Proust*, Tokyo, 1996.

Le Neveu de Rameau *et l'Allemagne*

GOETHE (J. W.), *Rameaus Neffe. Ein Dialog von Diderot. Aus dem Manuskript übersetzt und mit Anmerkungen begleitet von Goethe*, Leipzig, Goeschen, 1805.

GOETHE (J. W.), *Rameaus Neffe. Ein Dialog von Diderot, zweisprachige Ausgabe*, Günther Horst éd., Francfort, Insel Taschenburg, 1996.

HEGEL (G. W.), *La Phénoménologie de l'esprit* (1807), présentation, traduction et notes par Gwendoline Jarczyk et Pierre-Jean Labarrière, Gallimard, 1993.

SCHLÖSSER (Rudolf), *Rameaus Neffe. Studien und Untersuchungen zur Einführung in Goethes Übersetzung des Diderotschen Dialogs*, Berlin, A. Duncker, 1900.

MORTIER (Roland), *Diderot en Allemagne (1750-1850)*, PUF, 1954, rééd. Genève-Paris, Slatkine, 1986.

RICKEN (Ulrich), «Die französische Rückübersetzung des *Neveu de Rameau* nach der deutschen Überstezung von Goethe», *Beiträge zur romanischen Philolologie*, XV, 1976.

FILLOUX (Georges), *Diderot avant Marx, Cahiers diderotiens 1*, 1978.

KOLB (Jocelyne), «Presenting the Unrepresentable. Goethe's Translation of *Le Neveu de Rameau*», *Goethe-Yearbook*, 3, 1986.

GRIMMER (Dietgard), *Die Rezeption Denis Diderot in Österreich zwischen 1750 und 1850*, Salzbourg, 1988.

OESTERLE (Günter), «Goethe und Diderot: Camouflage und Zynismus. Rameaus Neffe als deutsch-französischer Schlüsseltext», *Marianne-Germania. Deutsch-französischer Kulturtransfer im europäischen Kontext, Les Transferts culturels franco-allemands et leur contexte européen. 1789-1914*, Leipziger Universitätsverlag, 1998.

BOURDIN (Jean-Claude), «Hegel traducteur de Diderot. *Le Neveu de Rameau* dans *La Phénoménologie de l'esprit*», *La Philosophie saisie par l'Histoire. Hommage à Jacques d'Hondt*, Michel Vadée et Jean-Claude Bourdin éd., Kimé, 1999.

PENISSON (Pierre), «Goethe traducteur du *Neveu de Rameau*», *Revue germanique internationale*, 12, 1999.

KREBS (Roland), «Le Dialogue avec Diderot», *Johann Wolfgang Goethe. L'Un, l'autre et le tout. Année Goethe. Paris, 1999*, Jean-Marie Valentin éd., Klincksieck, 2000.

HILDEBRAND (Olaf), «Im Irrgarten der Paradoxien. Goethe, Diderot und *Le Neveu de Rameau*», *Goethe-Jahrbuch*, 118, 2001.

GARO (Isabelle), «Le Neveu de Hegel. *Le Neveu de Rameau* dans *La Phénoménologie de l'esprit*», *Europe*, 882, octobre 2002.

SAADA (Anne), *Inventer Diderot. Les Constructions d'un auteur dans l'Allemagne des Lumières*, CNRS Éditions, 2003 [la réception d'après les catalogues de bibliothèques].

HOBSON (Marian), «Diderot, Jacobi et le *Spinozastreit*», *Revue d'histoire littéraire de la France*, avril 2006.

Adaptations, imitations et échos du Neveu de Rameau

JANIN (Jules), *La Fin d'un monde et du Neveu de Rameau*, Dentu, 1861.

MUSSET (Paul de), *Le Neveu de Rameau ou l'École des artistes*, manuscrit, vers 1860.

CARRÉ (Michel) et DESLANDES (Raymond), *Une journée de Diderot*, M. Lévy, 1868.

ARAGON, *Le Neveu de M. Duval*, Les Éditeurs français réunis, 1953.

FRESNAY (Pierre) et DUVAL (Jacques-Henri), *Le Neveu de Rameau. Adaptation à la scène de la satire dialoguée de Diderot*, Théâtre de la Michodière, 1963.

BERNHARD (Thomas), *Le Neveu de Wittgenstein. Une amitié*, Jean-Claude Hémery trad., Gallimard, 1985.

ENZENSBERGER (Hans Magnus), *Voltaires Neffe. Eine Fälschung in Diderots Manier*, Francfort, Suhrkamp, 1996.

SCHINE (Cathleen), *La Nièce de Rameau*, roman, André Zavriew trad., Jean-Claude Lattès, 1997.

MILLER (Jacques-Alain), *Le Neveu de Lacan. Satire*, Verdier, 2003.

Bibliographies et ouvrages de références

ADAMS (David), *Bibliographie des œuvres de Denis Diderot, 1739-1900*, Ferney-Voltaire, Centre international d'étude du XVIIIᵉ siècle, 2000, 2 vol.

SPEAR (Frederick A.), *Bibliographie de Diderot. Répertoire analytique international*, Genève, Droz, 1980. T. II (1976-1986), Genève, Droz, 1988.

MORTIER (Roland) et TROUSSON (Raymond) dir., *Dictionnaire de Diderot*, Champion, 1999.

Diderot Studies, Genève, Droz, depuis 1949.

Recherches sur Diderot et sur l'Encyclopédie, Diffusion Klincksieck, depuis 1986, rubrique bibliographique semestrielle.

NOTES ET VARIANTES

Page 45.

a. L'autographe donne Satyre 2ⁿᵈᵉ *et* Le Neveu de Rameau *a été ajouté ensuite en marge par une autre main. Les copies Vandeul donnent en page de titre:* Satire II. Entretien avec Rameau *(V1),* Le Neveu de Rameau *(V2),* Entrevue avec Rameau au Café de la Régence ou satire contre ... *(V3). Sur V1 et V2,* Rameau *est écrit d'une autre main que celle du copiste.*

b. Puysieux *(V1).*

1. «Né sous l'influence de tous les Vertumnes réunis.» Horace fait faire le portrait satirique du citoyen Priscus par son esclave: «*Vixit inaequalis*», il vivait sans cesse différemment, tantôt riche et tantôt misérable, sénateur ou bien affranchi, souteneur à Rome et philosophe à Athènes. — Vertumne est un dieu romain des jardins et des vergers qui «présidait aux pensées des hommes, c'est pour cela, c'est-à-dire pour marquer la diversité prodigieuse de leurs pensées qu'on feignait qu'il se changeait en autant de figures qu'il voulait» (*Dictionnaire de Trévoux*). Le chevalier de Jaucourt ajoute dans l'*Encyclopédie*: «On croit que Vertumne, dont le nom signifie *tourner, changer,* marquait l'année et ses variations. On avait raison de feindre que le dieu prenait différentes figures pour plaire à Pomone, c'est-à-dire pour amener les fruits à maturité. Ovide lui-même donne lieu à cette conjecture, puisqu'il dit que ce dieu prit la figure d'un laboureur, celle d'un moissonneur, celle d'un vigneron, et enfin celle d'une vieille femme, pour désigner par là les quatre saisons, le

printemps, l'été, l'automne et l'hiver» (t. XVII, p. 185-186).
Properce consacre un poème au dieu Vertumne, il y énumère
ses métamorphoses : «Point de formes auxquelles je ne me
prête, toutes me sont avantageuses» (*Élégies*, livre quatrième,
II). Parmi les étymologies du nom, le poète évoque le verbe
vertere, retourner, et le substantif *annus*, année. Le dieu serait
lié au temps cyclique, à la transformation récurrente de la
végétation (voir John Scheid et Jesper Svenbro, «Le mythe de
Vertumne», *Europe*, août-septembre 2004).

2. Les jardins du Palais-Royal, résidence de la famille d'Orléans, étaient ouverts, le jour, au public. Les plantations dataient
de Louis d'Orléans, fils du Régent, vers 1725 et subsistèrent
jusqu'à la construction des arcades que nous connaissons
aujourd'hui, à partir de 1780, par Louis-Philippe d'Orléans,
futur Philippe-Égalité. L'allée d'Argenson et l'allée de Foy se
font pendant, de part et d'autre, à l'est et à l'ouest. La première était plantée de tilleuls et la seconde de marronniers.
L'allée d'Argenson tire son nom de l'hôtel de la chancellerie
d'Orléans, occupé par le comte d'Argenson, et l'allée de Foy
d'un café installé en 1725. Voir le «Plan général des jardins et
dépendances du Palais-Royal» dans *L'Architecture française*
de J.-F. Blondel (1752-1756) (*Le Palais-Royal*, Paris, Musée
Carnavalet, 1988, n° 128).

3. Libertinage : Diderot joue de la polysémie du terme qui
renvoie concurremment et parfois contradictoirement à l'indépendance d'esprit, au refus des règles idéologiques, esthétiques et morales. Goethe le traduit par *Leichtfertigkeit* et de
Saur le retranspose en français par une périphrase : «J'abandonne mon esprit à la vivacité de ses saillies, à sa mobilité, à
son inconstance» (Paris, 1821). — Marivaux, «spectateur français», utilisait le même mot pour désigner son refus d'un sujet
unique et d'une forme prédéterminée : «Je me sens aujour-
d'hui dans un libertinage d'idées qui ne peut s'accommoder
d'un sujet fixe» (*Journaux et œuvres diverses*, Garnier-Bordas,
1988, p. 132). — À propos de l'*Essai sur le mérite et la vertu*
(traduit de Shaftesbury), en 1745, l'abbé Desfontaines compa-
rait déjà la dispersion intellectuelle de Diderot à un libertinage
sensuel : «Il me semble avoir autant d'ardeur pour les voluptés
de l'esprit que les princes asiatiques pour celles du corps.

Comme ils ont plusieurs femmes outre celles qu'ils épousent, il a un objet principal auquel il donne ses premiers soins, avec des vues subordonnées qui ne laissent pas de l'occuper» (*Jugements sur quelques ouvrages nouveaux*, Avignon, 1745, t. VIII, p. 73). Voir Franco Venturi, *Jeunesse de Diderot*, Genève, Skira, 1939, p. 42.

4. Éventé «se dit d'un homme qui a la tête légère, qui est évaporé, étourdi» (*Trévoux*). «L'air éventé» caractérise le fat dans *Le Méchant* de Gresset (1745) et le petit-maître, qui garde la tête haute et l'air éventé, «la voix impérieuse, et le ton apprêté», dans *La Déclamation théâtrale* de Dorat (1766).

5. Café installé dès le début du siècle, place du Palais-Royal, et nommé «de la Régence» en 1718. Le propriétaire en est alors M. Rey. Louis-Sébastien Mercier consacre un chapitre aux cafés dès le premier tome du *Tableau de Paris* en 1781, il les caractérise comme un lieu de rencontre et de discussion, «le refuge ordinaire des oisifs, et l'asile des indigents» (Mercure de France, Jean-Claude Bonnet dir., 1994, t. I, p. 186). La spécialisation de ces établissements parisiens fait du café de la Régence «le rendez-vous des joueurs d'échecs de la grande classe», comme Diderot l'écrit à Sophie Volland, le 24 octobre 1762 (*Correspondance*, t. IV, p. 204).

6. M. De Kermuy, sire de Legal, gentilhomme breton, apparaît dans cette même lettre (voir note précédente) comme «l'oracle au jeu» à qui les joueurs demandent de trancher trois cas litigieux (*ibid.*, p. 204-205). — Né dans une famille de musiciens fameux, François André Danican Philidor (1726-1795), qui s'est aussi illustré comme compositeur de musique (voir p. 121, n. 4), a cultivé son renom européen de virtuose en disputant parties à handicap et parties simultanées. Il a publié en 1749 et réédité en 1777 une *Analyse du jeu des échecs* qui postule une «intelligibilité totale» du jeu. Diderot fait partie des souscripteurs de l'édition de 1777 (voir Jean Biou, «La Révolution philidorienne», *Le Jeu au xviiie siècle*, Aix-en-Provence, Édisud, 1976). — Mayot n'est pas plus connu que Foubert, un peu plus loin, sans doute chirurgien.

Page 46.

1. Cette attitude est celle du grand acteur, tel que le définit

le *Paradoxe sur le comédien*, ou du grand romancier qu'est Richardson, capable de rester des années sans parler pour mieux observer (*Éloge de Richardson*, à la suite des *Deux Amis de Bourbonne*, Folio, 2002, p. 168).

2. Ce type de mélange et de contradiction sert à Marivaux pour décrire le peuple de Paris et à un romancier du temps pour rendre compte d'un acteur de la Foire. La population de Paris est, pour Marivaux, un monstre «composé de toutes les bonnes et mauvaises qualités ensemble» (*Journaux et Œuvres diverses*, p. 10). L'acteur forain, «un des bouffons les plus goûtés», apparaît comme «l'assemblage bizarre de tous les idiomes, un amas d'équivoques scandaleuses, de propos des halles, le jargon de ce qu'on appelle la bonne compagnie mêlé au langage plat et barbare de la plus vile populace» (Jean-Charles Le Vacher de Charnois, *Histoire de Sophie et d'Ursule*, Nlle éd., Londres-Paris, 1789, t. I, p. 145). Le Neveu participe des contradictions parisiennes et de la bouffonnerie de la Foire.

3. Originalité: néologisme récent, employé positivement en peinture, mais le plus souvent péjorativement dans le langage courant. La comédie du temps dénonce ce qui est considéré comme une déviance par rapport à la norme: Palissot fait jouer *Le Cercle ou les Originaux* (1755) et Cailleau *Les Originaux ou les Fourbes punis* (1760). Pour Diderot, l'originalité est la fidélité à soi-même, la marque de l'origine et de l'authenticité au milieu de l'artifice social, «l'effleurement de la nature au sein d'une culture de plus en plus conventionnelle, souvent hypocrite» (Roland Mortier, *L'Originalité. Une nouvelle catégorie esthétique au siècle des Lumières*, Genève, Droz, 1982, p. 157).

4. Ne vous arrête pas: au sens de «ne vous retient pas». Voir, plus bas: «je n'estime pas ces originaux-là [...]. Ils m'arrêtent une fois l'an, quand je les rencontre.»

5. La formule rappelle celle que Jean-Jacques Rousseau emploie à son propos lorsqu'il compose un autoportrait satirique dans *Le Persifleur* en 1749: «Quand Boileau a dit de l'homme en général qu'il changeait du blanc au noir, il a croqué mon portrait en deux mots; en qualité d'individu, il l'eût rendu plus précis s'il y eût ajouté toutes les autres couleurs avec les nuances intermédiaires. Rien n'est si dissemblable à

moi que moi-même, c'est pourquoi il serait inutile de tenter de me définir autrement que par cette variété singulière» (*Œuvres complètes*, Bibl. de la Pléiade, t. I, p. 1108). Rousseau conclut : «En un mot, un Protée, un caméléon, une femme sont des êtres moins changeants que moi.» C'est d'une femme, personnage de roman, qu'un disciple de Marivaux écrit : «Elle ne ressemblait à personne, se ressemblait fort peu à elle-même» (Lesbros de La Versane, *Caractères des femmes, ou Aventures du chevalier de Miran*, Londres-Paris, 1769, t. I, p. 61).

6. Une même morale évangélique est susceptible d'interprétations contradictoires. Au début du roman, Jacques le fataliste et son maître, eux aussi, peuvent recevoir l'hospitalité ou bien «chez un curé de village à portion congrue» ou bien «dans une riche abbaye de bernardins» (*Jacques le fataliste*, Folio, 1973, p. 58).

Page 47.

1. Ce double portrait de Rameau, «tête basse» et «tête haute», rappelle les silhouettes contrastées de Giton et de Phédon sur lesquelles La Bruyère achève la section des *Caractères* consacrée aux «Biens de fortune». Les portraits commencent par la posture physique et se prolongent par le comportement social. D'un côté, «Giton a le teint frais, le visage plein et les joues pendantes, l'œil fixe et assuré, les épaules larges, l'estomac haut, la démarche ferme et délibérée», tandis que «Phédon a les yeux creux, le teint échauffé, le corps sec et le visage maigre». Le premier «dort le jour, dort la nuit, et profondément ; il ronfle en compagnie» ; le second «dort peu, et d'un sommeil fort léger». L'extraversion de Giton qui «se mouche avec grand bruit», «crache fort loin», «éternue fort haut» et ronfle avec aussi peu de discrétion s'oppose terme à terme à l'introversion du pauvre Phédon : «il tousse, il se mouche sous son chapeau, il crache presque sur soi, et il attend qu'il soit seul pour éternuer». La présente opposition est développée par l'évocation de Rameau, célèbre ou bien inconnu (p. 57-59).

2. La taverne de faubourg s'oppose au café du centre de la capitale. «Le café parisien donne à ses clients un espace ordonné, civilisé, transparent, propice à une autre sociabilité que celle du cabaret ou de la tabagie ou des estaminets à

billard sur les ports [...]. Il s'agit moins d'une sociologie de la clientèle qui ne peut que souligner la mixité des fréquentations, le mélange des âges, la confusion des rangs, que d'une diversité très nuancée des manières de vivre» (Daniel Roche, *Le Peuple de Paris*, Aubier, 1981, p. 261).

3. Fiacre: Le terme désigne ici le cocher et non son carrosse de louage.

4. La ville s'arrête alors aux fossés des Tuileries. Le Cours-la-Reine et les Champs-Élysées sont situés en dehors de Paris.

5. Diderot emprunte l'image à la chimie où il cherche les modèles scientifiques de son matérialisme. La fermentation consiste, selon l'*Encyclopédie*, dans une agitation des éléments jusqu'à «la décomposition du corps fermentant». Le Neveu, remarque Jean Starobinski, «dissipe la neutralité de la bienséance, il met en évidence la polarité du positif et du négatif, du bien et du mal», il dénonce «les liens fiduciaires qui font croire à la cohésion sociale», il «révèle les contradictions et les conflits» (*Action et réaction. Vie et aventures d'un couple*, Le Seuil, 1999, p. 71).

6. Individualité: ce néologisme apparaît dans les *Essais de Théodicée* de Leibniz (1710), puis dans *L'Andrométrie* de Boudier de Villemert (1753), dans *De la nature* de Jean-Baptiste Robinet (1761), dans les *Considérations sur les corps organisés* de Charles Bonnet (1762), dans le *Salon de 1767* de Diderot. Il ne se répand qu'au début du XIXe siècle. Il correspond chez Diderot «à la nécessité de penser autrement le sujet» (Thierry Belleguic, «Figures et pouvoirs de l'abject: *Le Neveu de Rameau* ou les avatars de Narcisse», *Man and Nature. L'Homme et la Nature*, XI, 1992, p. 17).

Page 48.

a. témoins La Morlière et Réaumur *(V1 et V3)*.

1. Les «bouts de chants» et le décousu de l'harmonie s'opposent à la continuité de la mélodie qui caractérise l'opéra bouffe italien. Diderot force une opposition qui n'a pas été historiquement si marquée: voir Daniel Heartz, «Diderot et le théâtre lyrique: le nouveau style proposé par *Le Neveu de Rameau*», *Revue de musicologie*, LXIV, 1978.

2. Vols, triomphes, lances, gloires, victoires : accessoires traditionnels du grand opéra.

3. La comparaison de Marivaux et de Crébillon avec une coquette indique le jugement que l'encyclopédiste porte sur des écrivains qu'il associe à une mondanité rococo dépassée. Dans *Les Bijoux indiscrets* (Folio, p. 214), il a déjà parodié le *Tanzaï* de Crébillon. La même image est employée par Grimm lorsqu'il rend compte de la mort de Marivaux dans la *Correspondance littéraire* en février 1763 : « Il a eu parmi nous la destinée d'une jolie femme, et qui n'est que cela, c'est-à-dire un printemps fort brillant, un automne et un hiver des plus durs et des plus tristes. Le souffle vigoureux de la philosophie a renversé depuis une quinzaine d'années toutes ces réputations étayées sur des roseaux. » Horace Walpole reprend dans une lettre en 1765 : « Crébillon est tout à fait démodé, et Marivaux est devenu un proverbe : on dit marivauder, marivaudage. »

Page 49.

a. excepté Legal et Puisieux *(V1 et V3).*

1. Claude Henri de Bissy, comte de Thiard (1721-1810), auteur dramatique, membre de l'Académie française.

2. Claire Josèphe Hippolyte Léris de Latude, dite Mlle Clairon (1723-1803), est une des plus célèbres actrices du temps. « Quel jeu plus parfait que celui de la Clairon ? » remarque Diderot dans le *Paradoxe sur le comédien* (1773, Folio p. 40). Elle défraya la chronique par ses caprices et humeurs (voir p. 76).

3. La Bruyère affirmait dans les *Caractères* : « Il y a de certaines choses dont la médiocrité est insupportable : la poésie, la musique, la peinture, le discours public » (« Des ouvrages de l'esprit », 7). L'affirmation vient d'Horace (*De arte poetica*, v. 370), adapté par Boileau (« Mais dans l'art dangereux de rimer et d'écrire, / Il n'est point de degrés du médiocre au pire », *Art poétique*, chant IV, v. 31-32). Voir plus loin n. 4, p. 57.

Page 50.

a. pour celui d'un moine *(V1 et V3).*

1. Le personnage décrit par Diderot s'écarte de son modèle historique, à moins que les « rides » ne désignent les marques

de petite vérole : « Et mon front labouré devint en un seul jour /
Le plastron des brocards et l'effroi de l'amour » (*La Nouvelle
Raméide*, dans André Magnan, *Rameau le neveu*, p. 176). Voir
p. 57, n. 3.

2. Rebordée : qui fait rebord, qui fait saillie. Ce sens,
remarque J. Fabre, n'est lexicalisé que par Littré.

3. La « longue barbe » désignait les cyniques qui refusaient
le luxe d'un coiffeur. Diderot les présente dans l'article de
l'*Encyclopédie* qu'il leur consacre, « le menton hérissé d'une
longue barbe ». — De son côté, d'Alembert a composé l'article
« Courtisane » : « Tout le monde connaît les deux Aspasies [...],
Phryné qui fit rebâtir à ses dépens la ville de Thèbes détruite
par Alexandre, et dont les débauches servirent ainsi en
quelque manière à réparer le mal fait par le conquérant, Laïs
qui tourna la tête à tant de philosophes, à Diogène même
qu'elle rendit heureux, à Aristippe, qui disait d'elle : je possède
Laïs, mais Laïs ne me possède pas » (t. IV, p. 400-401). Dans
les *Regrets sur ma vieille robe de chambre*, Diderot compare les
facilités du luxe aux plaisirs qu'assure une courtisane : « Ne
craignez pas que la fureur d'entasser de belles choses me
prenne [...]. J'ai Laïs, mais Laïs ne m'a pas » (D.P.V., t. XVIII,
p. 60).

4. « Tous les poètes se sont divertis à nous peindre la figure,
le caractère et les mœurs de Silène ; à les en croire, il était
ventru, ayant la tête chauve, un gros nez retroussé, et de
longues oreilles pointues, étant tantôt monté sur un âne, sur
lequel il a bien de peine à se soutenir, et tantôt marchant
appuyé sur un thyrse ; c'est le compagnon et le premier lieutenant de Bacchus » (*Encyclopédie*, t. XV, p. 192).

5. De Saur traduit plus directement : « Une face qu'on prendrait pour un derrière ».

6. « On dit d'une chose dont on ne se soucie pas, ou qu'on
méprise, qu'on n'en donnerait pas un clou à soufflet » (*Dictionnaire critique* de l'abbé Féraud, 1787-1788).

7. Tout son est accompagné d'harmoniques, l'octave, la
douzième et la dix-septième majeure au-dessus, comme l'explique d'Alembert dans l'article « Fondamental » de l'*Encyclopédie*. Rameau y ajoutait la douzième et la dix-septième
majeure au-dessous. À cette polémique dans laquelle intervint

Rousseau se mêle ce que J. Fabre nomme «l'idée fixe de Rameau» qui aurait renvoyé son confesseur, le curé de Saint-Eustache, sous prétexte qu'il avait la voix fausse (Bachaumont, *Mémoires secrets*, 12 septembre 1784).

Page 51.

a. mères, parents *(L et V)*.
b. aux canards *(V)*.

1. *Tellement quellement* : tant bien que mal.

2. Libre référence à frère Jean dans les chapitres XXXIX et XL de *Gargantua*. Diderot répète cette devise du «dévot pantagruéliste» dans une lettre au prince Alexandre Galitzine (21 mai 1774, *Correspondance*, t. XIV, p. 29).

3. Le Neveu proclame comme Socrate qu'il ne sait rien. Il répétera : «Vous savez que je suis un ignorant» (p. 60), «quand on ne sait pas tout, on ne sait rien de bien [...]. Il y en avait de pires que moi : ceux qui croyaient savoir quelque chose» (p. 75).

4. Un ministre : «Choiseul, à n'en pas douter, dont la réputation de cynisme et de causticité était solidement établie» (J. Fabre).

5. Principe du despotisme éclairé dont l'ensemble du siècle discute et qui fait l'objet d'un concours à l'Académie de Berlin en 1780 : «Est-il utile au peuple d'être trompé, soit qu'on l'induise dans de nouvelles erreurs ou qu'on l'entretienne dans celles où il est?» Voir l'édition des réponses procurée par Werner Krauss, *Est-il utile de tromper le peuple?*, Berlin, Akademie Verlag, 1966.

6. Le cagnard, d'après *Trévoux*, est un «vieux mot qui signifiait autrefois un lieu malpropre, tel que celui où logeaient les chiens».

Page 52.

1. Lieu commun qui se répète depuis Aristote (*Problèmes*, XXX, 1) et qu'illustre par exemple Molière : «C'est une chose admirable que tous les grands hommes ont toujours du caprice, quelque petit grain de folie mêlé à leur science» (*Le Médecin malgré lui*, acte I, sc. IV).

2. Il ne s'agit plus seulement de l'esthétique d'un visage qui «figurerait très bien en bronze ou en marbre» (p. 50), mais

d'une morale de la mémoire civique. Aux saints du christianisme et aux rois de la tradition monarchique, le mouvement de laïcisation des Lumières substitue les grands hommes, et en particulier les grands écrivains, qui constituent la mémoire et la conscience de la nation ; c'est ce que J.-C. Bonnet nomme la « naissance du Panthéon » (*Naissance du Panthéon. Essai sur le culte des grands hommes*, Fayard, 1998).

3. Bordeu tient le même discours dans *Le Rêve de d'Alembert* : « le mensonge a ses avantages et la vérité ses inconvénients [...]. Mais les avantages du mensonge sont d'un moment et ceux de la vérité sont éternels » (Folio, dans l'édition collective du *Neveu de Rameau*, 1972, p. 233).

Page 53.

a. La particule a été supprimée ensuite sur l'autographe. Les autres manuscrits portent Voltaire *seul. Même variante tout au long du texte.*

1. Pour les hommes des Lumières, Socrate est le symbole du philosophe persécuté. Sa figure hante l'œuvre de Diderot qui remarque dans l'article « Ignominie » : « Lorsque l'équité des siècles absout un homme de l'ignominie, elle retombe sur le peuple qui l'a flétri » (*Encyclopédie*, t. VIII, p. 549). Lors d'une ultime rencontre à Paris, Diderot aurait déclaré à Voltaire : « "La ciguë valut un temple au philosophe d'Athènes." Alors le vieillard m'enlaçant de ses bras et me pressant tendrement contre sa poitrine, ajouta : "Vous avez raison" » (*Essai sur les règnes de Claude et de Néron*, tome second, apologue).

2. Turbulent : « qui est violent, remuant, impérieux, qui aime à brouiller, à exciter du désordre [...]. Ceux qui sont brouillons et turbulents ne sont pas propres au gouvernement. Les esprits turbulents sont dangereux dans la société » (*Trévoux*).

3. Audacieux : « selon quelques-uns, se prend en bonne et mauvaise part, mais, selon le P. Bouhours, il ne se prend jamais qu'en mauvaise part, soit en vers, soit en prose » (*Trévoux*).

4. L'article « Philosophe » de l'*Encyclopédie* cite la maxime 387 : « Un sot, dit La Rochefoucauld, n'a pas assez d'étoffe pour être bon. »

5. Épineux : « se dit figurément en morale [...] des personnes difficiles à manier et à ménager » (*Trévoux*).

6. L'admiration de Diderot pour Racine est constante. Il écrit à Sophie Volland, en novembre 1760 : «C'est peut-être le plus grand poète qui ait jamais existé» (*Correspondance*, t. III, p. 237). La mise en cause de l'homme date du vivant de Racine. Des pamphlets ont circulé contre lui, tel *Apollon charlatan*, attribué à Barbier d'Aucour, qui joue sur le nom de Racine, assimilé à une plante dont la fleur «vint en pointe de buisson / Déchirer la main délicate / À qui cette petite ingrate / Devait son art et sa façon» (Racine, *Œuvres complètes*, Bibl. de la Pléiade t. I, éd. G. Forestier, p. 768). C'est à cette légende noire que Louis Racine répond dans l'hagiographique vie de son père. Diderot écrit encore à Sophie, le 31 juillet 1762 : «Comme je disais une fois à Uranie [Mme Le Gendre, sœur de Sophie], s'il faut opter entre Racine méchant époux, méchant père, ami faux et poète sublime, et Racine bon père, bon époux, bon ami et plat honnête homme, je m'en tiens au premier. De Racine méchant, que reste-t-il? Rien. De Racine homme de génie, l'ouvrage est éternel» (*Correspondance*, t. IV, p. 81).

7. Quel est le sens de cette particule *De Voltaire*? Est-ce «par habitude, affectation ou raillerie légère», comme le suppose Jean Fabre dans son édition (p. xxv)? Il dit ailleurs de Voltaire et Diderot : «Les deux hommes ne s'aimaient pas» («Deux définitions du philosophe : Voltaire et Diderot», *Lumières et romantisme : énergie et nostalgie de Rousseau à Mickiewicz*, Klincksieck [1re éd., 1963], 1980, p. 1). Jacques Chouillet préfère parler d'une amitié équivoque («Être Voltaire ou rien : réflexions sur le voltairianisme de Diderot», *Studies on Voltaire*, 185, 1980), tandis que Didier Masseau évoque des relations complexes entre l'aîné et le cadet, «sous le signe du malaise et du malentendu» (*Inventaire Voltaire*, Gallimard, 1995, p. 413); voir ci-dessous p. 85, n. 2.

Page 54.

a. Bernard *(V1 et V3).*
b. Buffault *(V1)*, Buffaut *(V3).*

1. Antoine-Claude Briasson est le libraire associé à Lebreton, David et Durand pour la publication de l'*Encyclopédie*. C'est lui qui convainquit Diderot de poursuivre l'entreprise malgré la censure exercée par les éditeurs. Barbier est un

marchand d'«étoffes de soie, d'or et d'argent», rue des Bourdonnais. Lui évoque ensuite «un bon marchand en soie de la rue Saint-Denis ou Saint-Honoré». Le *Salon de 1767* comporte ainsi un éloge ironique de «M. Baliveau, capitoul de Toulouse» (Hermann, 1995, p. 208).

2. Cohabitation «quelquefois se dit de l'état du mari et de la femme qui ont une demeure commune, qui vivent ensemble [...]. Quelquefois par *cohabitation*, on entend la consommation du mariage» (*Trévoux*).

Page 55.

1. Ses entours: ses proches, ses relations.

2. De Saur traduit: «tous ces joueurs, tous ces écornifleurs, tous ces doucereux approuveurs de tout, tous ces donneurs de mauvais conseils».

3. La mondanité rococo apprécie le bariolage; l'art qui lui correspond est adepte de la couleur plutôt que de la ligne, à la suite du débat entre Poussin et Rubens. Louis Antoine de Caraccioli en propose une apologie ironique dans *Le Livre à la mode*, imprimé en vert puis en rose, et dans *Le Livre des quatre couleurs* (Aux Quatre Éléments, 4444 [vers 1760]).

4. Dans l'article «Jouissance» de l'*Encyclopédie*, Diderot commence par opposer propriété et jouissance: «On possède souvent sans jouir. À qui sont ces magnifiques palais? qui est-ce qui a planté ces jardins immenses? c'est le souverain; qui est-ce qui en jouit? c'est moi» (D.P.V., t. VII, p. 575).

5. Selon la poétique classique, la tragédie inspire terreur et pitié. Diderot lui assigne une nouvelle fonction morale. Plus loin, Molière inspire «la connaissance de ses devoirs; l'amour de la vertu; la haine du vice» (p. 102).

Page 56.

a. Duhamel *(V).*

1. *La Raméide* développe l'image opposée, voir la préface, p. 25-26.

2. Triple ironie. Charles Duclos (1704-1772), l'abbé Trublet (1697-1770) et l'abbé d'Olivet (1682-1768) sont trois contemporains de Diderot. Le premier, ami des philosophes, ne se piquait pas de délicatesse ni de bonnes manières. Les deux

autres se montraient peu scrupuleux dans leur lutte contre les philosophes.

3. Le peintre Jean-Batiste Greuze (1725-1805) expose pour la première fois au salon de 1755. Il fait la connaissance de Diderot quelques années plus tard, devient son ami, dessine un portrait du philosophe, mais les relations entre les deux hommes se dégradent à partir de 1767. Dans le *Salon de 1765*, Diderot reste amical : « Il est un peu vain, notre peintre, mais sa vanité est celle d'un enfant, c'est l'ivresse du talent. Ôtez-lui cette naïveté qui lui fait dire de son propre ouvrage : *voyez-moi cela, c'est cela qui est beau !*... vous lui ôterez la verve, vous lui éteindrez le feu, et le génie s'éclipsera » (Hermann, 1984, p. 177). Sur cette relation, voir *Diderot et l'art de Boucher à David. Les Salons. 1759-1781*, R.M.N., 1984, p. 217-220.

4. *Mérope*, tragédie de Voltaire (1743). Plus loin, Lui cite une autre de ses tragédies, *Mahomet* (1742), voir p. 57, n. 5.

Page 57.

1. Plus précisément, de la philosophie matérialiste et « fataliste » selon le vocabulaire du temps, déterministe selon le nôtre, qui affirme la nécessité de tout ce qui advient. Moi pose la question de la relation entre « tout » (constat de ce qui est), « le tout » (pensée de ce qui est comme une unité) et « l'ordre général » (pensée de ce qui est comme ayant un sens).

2. Dans *Le Diogène de D'Alembert* ou *Diogène décent*, Le Guay de Prémontval remarque : « L'on dit bien, *je voudrais être à la place d'un autre homme*, mais dit-on jamais qu'improprement, *je voudrais être cet homme-là* ? Voulons-nous être autres que nous-mêmes ? Je n'en sais rien. Car quand je fais réflexion que quelqu'autre que je fusse, je ne m'en aimerais ni ne m'en estimerais pas moins tel que je serais, il me paraît assez indifférent d'être ce que je suis, ou toute autre chose » (Berlin, 1755, p. 31).

3. Cazotte confirme dans ses souvenirs sur le vrai neveu : « Cet homme singulier vécut passionné pour la gloire, qu'il ne pouvait acquérir dans aucun genre » (*Œuvres badines et morales*, 1788, cité dans André Magnan, *Rameau le neveu*, p. 222). Voir plus loin p. 141. Jacques Cazotte (1719-1792) est né comme Jean-François Rameau à Dijon et a été son condis-

ciple au collège des jésuites de la ville. Auteur de nombreux poèmes et romans dont *Le Diable amoureux* est le plus célèbre, il prit la défense de la musique française pendant la querelle des Bouffons (voir p. 123, n. 1 et 5). Sa brochure *La Guerre de l'opéra* se caractérise par son rationalisme étroit et son conservatisme. Il publia en 1766 une *Nouvelle Raméide* qu'il présente comme un poème «revu, corrigé et presque refondu par M. Rameau, fils et neveu de deux grands hommes qu'il ne fera pas revivre». Il y fait parler un Jean-François Rameau ricaneur et persifleur, bien différent de l'image que celui-ci prétendait donner de lui dans *La Raméide*.

4. Les termes *médiocre* et *médiocrité* qui n'étaient pas péjoratifs dans la morale classique de la mesure et du juste milieu le deviennent progressivement aux xviie et xviiie siècles. Voir plus haut n. 3, p. 49. Le *Salon de 1767* comporte également une digression sur l'homme de génie, voué au malheur: «Je faisais en moi-même l'éloge de la médiocrité qui met également à l'abri du blâme et de l'envie; et je me demandais pourquoi cependant personne ne voudrait perdre de sa sensibilité, et devenir médiocre» (Hermann, 1995, p. 207).

5. *Mahomet ou le Fanatisme*, tragédie de Voltaire (1741).

6. Le chancelier Maupeou (1714-1792) imposa une réforme des parlements et supprima la vénalité des charges. L'opinion cria au despotisme, mais Voltaire soutint la réforme dans une série de libelles: *Lettre d'un jeune abbé* (1771), *Lettre écrite au nom de la noblesse de France*, *Réponse aux remontrances de la Cour des aides*, etc. La mort de Louis XV mit fin à cette tentative de réforme.

7. Après *Les Indes galantes*, opéra-ballet (1735), Lui cite l'air de l'Envie dans un autre opéra de Rameau, *Le Temple de la Gloire* (1745), sur un livret de Voltaire.

Page 58.

1. Le grand Rameau est mort en 1764. Voir préface p. 13.

2. La *gavotte* est définie par l'*Encyclopédie* comme une «danse dont l'air a deux reprises». «Le mouvement de la *gavotte* est ordinairement gracieux, souvent gai, quelquefois aussi tendre et lent. M. Rameau parmi nous a beaucoup réussi dans les *gavottes*» (t. VII, p. 529).

3. « Première apparition des animaux les plus notables de la ménagerie » (J. Fabre) qui comptent parmi les plus efficaces auteurs et journalistes du parti antiphilosophique. Charles Palissot de Montenoy (1730-1814) s'opposa aux Encyclopédistes non par choix doctrinal, mais par choix de carrière. Il ridiculise Diderot dans *Les Philosophes* en 1760 sous le nom de Dortidius, grâce à un montage tendancieux mais adroit de citations de l'*Encyclopédie*. — Antoine Alexandre Henri Poinsinet (1735-1769), dit Poinsinet le jeune pour le distinguer de son cousin Louis Poinsinet de Sivry, est notamment l'auteur en 1760 d'une comédie, *Le Petit Philosophe*. — Élie Catherine Fréron (1719-1776), ennemi juré de Voltaire, se posa en défenseur de l'héritage classique et des authentiques philosophes face à l'ambition hégémonique de la « secte » des Encyclopédistes dont il ne cessa de dénoncer les turpitudes dans *L'Année littéraire* qu'il dirige à partir de 1754. Son fils, Stanislas Louis Marie Fréron (1754-1802), partageait ses convictions. — Sur l'abbé Joseph de La Porte (1714-1779), voir p. 104, n. 5 et p. 105, n. 1.

Page 59.

1. *Les Trois Siècles de la littérature française* de Sabatier de Castres (1772) se présente comme un dictionnaire des auteurs.

2. Le passage est rapproché, par Leo Spitzer, d'une scène de séduction de Suzanne par la supérieure d'Arpajon dans *La Religieuse* (Folio, p. 202-206). Il est construit sur un parallèle entre la parole et le geste, et sur une répétition mécanique, obsessionnelle. Voir « The Style of Diderot », *Linguistics and Literary History, Essays in Stylistics*, Princeton University Press, 1948, p. 152-160.

3. Étonne : « emploi plaisant du verbe dans le sens étymologique [frapper du tonnerre] qu'il est en train de perdre » (J. Fabre).

4. Ces portraits contrastés du riche et du pauvre prolongent l'opposition précédente entre Rameau « tête basse » et « tête haute » (p. 46).

Page 60.

a. Autre chose *est corrigé en* autres choses *sur le manuscrit autographe, la correction ne semble pas de Diderot.*

1. Ce collègue serait, selon G. Monval, Fréron ou Poinsinet, collègues de Palissot à l'Académie de Nancy; selon J. Fabre, le libraire David (voir p. 111, n. 3), associé à Palissot pour publier les *Gazettes anglaises*; selon H. Coulet, Fréron avec lequel Palissot collaborait aux *Lettres sur quelques écrits de ce temps* (1749-1754), puis à *L'Année littéraire* (1754-1789).

Page 61.

a. L'échange (Lui. C'est une sottise [...]. / Moi. Quelle sottise encore?) *manque sur tous les autres manuscrits.*
b. Soubise *(V1 et V3).*
c. Poinsinet *(V1 et V3).*

1. Lui disait pourtant: «je suis conséquent» (p. 53). L'expression «sans conséquence» est reprise, p. 100. Elle indique souvent une condition sociale inférieure. Au début de l'*Histoire de ma vie*, Casanova se présente comme «un jeune abbé, très sans conséquence» (Plon-Brockhaus, 1960, t. I, p. 254) et doit se reconnaître tout au long de ses Mémoires ce «privilège d'être homme sans conséquence» (*ibid.*, t. XII, p. 8-9). Lorsque Suzanne dans *Le Mariage de Figaro* traite Chérubin de «morveux sans conséquence», c'est son jeune âge qui disqualifie le garçon et devrait le rendre inoffensif auprès des femmes.

2. On dirait aujourd'hui «tirez-vous».

3. Le regrat désigne la revente au détail. Mercier lui consacre un chapitre du *Tableau de Paris*: «Le regrat est encore ce qui tue la partie indigente des habitants de la capitale. Cette malheureuse portion achète les denrées beaucoup plus cher, et n'a que le rebut des autres citoyens. N'ayant pas le moyen de faire quelques modiques avances pour ses provisions annuelles, elle paie le double de ce que valent les choses. Tout augmente d'un tiers au moins pour cette classe infortunée qui est obligée d'avoir recours à de petits marchands qui revendent au détail ce qu'ils ont déjà acheté au détail» (éd. cit., t. I, p. 667).

4. L'hôtel de Soubise qui abrite aujourd'hui les Archives nationales «possédait les écuries les plus vastes de Paris»

(J. Fabre). Pierre Honoré Robé (ou Robbé) de Beauveset (1712?-1794) est l'auteur licencieux du *Débauché converti* (1736) et d'un poème sur la vérole, brûlé en échange d'une pension de l'archevêque de Paris. Il rima aussi quelques attaques contre les philosophes (voir *Anthologie de la poésie française*, Bibl. de la Pléiade, t. II, p. 139-140 et 1299). Il reparaît p. 101.

Page 62.

1. Se rapatrier : au sens de se réconcilier, se raccommoder.

Page 63.

a. M. Bertin *(V1 et V3).*

1. Selon la remarque de Marian Hobson, «l'absence de coordination syntaxique forme un assemblage d'actions disloquées, ponctuelles, comme suggérées par une instance externe» («Pantomime, spasme et parataxe dans *Le Neveu de Rameau*», *Revue de métaphysique et de morale*, avril-juin 1984, p. 205).

2. Le 12 septembre 1761, Diderot a raconté à Sophie Volland «les détails de l'aventure de Bertin (voir p. 75, n. 2) et de la petite Hus» ou, plus précisément, de l'infidélité de Mlle Hus avec leur voisin à Passy, M. Vieillard, «jeune homme, beau, bien fait, leste d'action et de propos, ayant de l'esprit et du jargon, fréquentant le monde et en possédant à fond les manières» (*Correspondance*, t. III, p. 301). Bertin survient mal à propos et la nuit est vaudevillesque. De Mlle Hus (1734-1805), comédienne, on ne sait presque rien, hormis les anecdotes rapportées par Voltaire (dans sa *Correspondance*) dont elle interpréta notamment *Nanine* (1749).

3. Claude Rameau, le père du véritable neveu, apparaît sur le registre des tailles de Dijon comme «organiste et fripier» et sur l'acte de baptême de son fils comme organiste (A. Magnan, *Rameau le neveu*, p. 17).

4. La silhouette correspond au portrait esquissé par Mercier : «J'ai connu dans ma jeunesse le musicien Rameau, c'était un grand homme sec et maigre, qui n'avait point de ventre, et qui, comme il était courbé, se promenait au Palais-Royal toujours les mains dans le dos, pour faire son à-plomb ; il avait un long nez, un menton aigu, des flûtes au lieu de

jambes, la voix rauque» (*Tableau de Paris*, éd. cit., t. II, p. 1446). La gravure de Carmontelle est reproduite dans l'*Album Diderot* de la Pléiade (nº 195).

5. Le neveu a publié en 1757 les *Nouvelles pièces de clavecin, distribuées en six suites d'airs de différents caractères* dont le compte rendu de *L'Année littéraire* permet de se faire une idée. On y trouve en particulier une imitation musicale des persifleurs, des gens du monde, des petits-maîtres (voir A. Magnan, *Rameau le neveu*, p. 79-83).

Page 64.

1. François Joseph Bergier (1732-1784) est un ami de d'Holbach, souvent évoqué par Diderot dans ses lettres à Sophie comme «le gros Bergier» ou «cette grosse citrouille de Bergier»; il ne doit pas être confondu avec son frère, l'abbé Nicolas Sylvestre Bergier (1718-1790), théologien et réfutateur du matérialisme, «qui était, lui, frêle, frugal... et chaste» (J. Chouillet). — Marie-Anne Françoise de Noailles, devenue Mme de La Marck, est une des protectrices des antiphilosophes.

Page 65.

a. du rouge *(V).*

b. tressaille *(V1). Le copiste n'a plus ressenti «tressaillit» comme un présent.*

1. À la fin du siècle, l'*Encyclopédie méthodique* rappelle les «robes de fantaisie» qui ont eu le plus de succès: la lévite, la polonaise, l'anglaise et la sultane. La mode de la polonaise avec de la fourrure date du mariage de Louis XV avec une princesse polonaise (Marie Leszczynska, en 1725) et de la notoriété du maréchal de Saxe, lui-même bâtard du roi de Pologne.

2. «Cadeaux en nature traditionnellement offerts aux ecclésiastiques, ceux que reçoit par exemple M. Doucin, directeur ordinaire des demoiselles Habert dans *Le Paysan parvenu*» de Marivaux (H. Coulet).

3. Chanson *La Sollicitation* sur l'air de *La Jardinière*.

4. Mercier stigmatise la mode des petits nègres dont raffolent les femmes à la mode: «Le petit nègre n'abandonne plus sa tendre maîtresse; brûlé par le soleil, il n'en paraît que plus

beau. Il escalade les genoux d'une femme charmante, qui le regarde avec complaisance» (*Tableau de Paris*, éd. cit., t. I, p. 1464).

Page 66.

1. L'*Encyclopédie* donne deux orthographes du mot «bouracan ou baracan»: «espèce de camelot [étoffe non croisée] d'un grain fort gros» (t. II, p. 366).

2. De Saur précise: «ils ont en pierres gravées des Aristotes et des Platons aux doigts». Mais J. Fabre suppose qu'il s'agit d'appellations de diamants selon le nombre de carats. Quoi qu'il en soit, les figures philosophiques sont réduites à des valeurs commerciales.

3. Le «croque-note» ou «croque-sol» désigne un de «ces musiciens ineptes, qui, versés dans la combinaison des notes, et en état de rendre à livre ouvert les compositions les plus difficiles, exécutent au surplus sans sentiment, sans expression, sans goût» (J.-J. Rousseau, *Dictionnaire de musique*, *Œuvres complètes*, Bibl. de la Pléiade, t. V, p. 748).

Page 67.

a. Ici se trouve une lacune dans le manuscrit original. La scène a changé et les interlocuteurs sont entrés dans une des maisons qui environnent le Palais-Royal *(L)*. Il y a dans le manuscrit une lacune et on doit supposer que les interlocuteurs sont entrés dans le café où il y avait un clavecin *(V2)*.

1. Après avoir désigné théologiquement l'humilité de la créature devant son Créateur, le terme d'*abjection* a pris un sens moral, mais aussi économique et social, comme l'atteste, dans *Jacques le fataliste*, la manie de parler propre aux gens du peuple, «manie qui les tire de leur abjection» (Folio, p. 216). «Lui affirme son identité/originalité en revendiquant son abjection» et «joue le rôle de catalyseur de la prise de conscience par moi de sa propre abjection» (Thierry Belleguic, «Figures et pouvoirs de l'abject: *Le Neveu de Rameau* ou les avatars de Narcisse», *Man and Nature. L'Homme et la Nature*, XI, 1992, p. 5).

2. Les *menus plaisirs* désignent «chez le roi le fonds destiné à l'entretien de la musique tant de la chapelle que du concert

de la reine, aux frais des spectacles, bals, et autres fêtes de la cour» (*Encyclopédie*).

3. «Ô précieux excrément.» L'ancien adage agricole vantant le fumier devient affirmation de soi: «Il s'agit d'inverser le rapport à l'abject, au sens strict de ce qu'on expulse de soi: le dégoût se transforme en plaisir, la honte en revendication narcissique» (Th. Belleguic, p. 5).

4. Samuel Bernard (1651-1739) est un des plus riches banquiers du temps.

Page 68.

1. Les enfants rouges et les enfants bleus: chorales formées par les pupilles de deux orphelinats de Paris, désignés par la couleur de leur costume.

2. Le Neveu se décrit comme une machine. J. Proust a souligné l'omniprésence de l'objet technique dans le texte: automate et pagode mue par un fil (p. 90), pantin d'acier (p. 107), petit marteau sous une lourde enclume (p. 114), fibre qu'on pince et qui ne vibre pas (p. 132), etc. Voir «De l'*Encyclopédie* au *Neveu de Rameau*: l'objet et le texte», *Recherches nouvelles sur quelques écrivains des Lumières*, Genève, Droz, 1972.

Page 69.

1. Pietro Locatelli de Bergame (1693-1764), violoniste et compositeur, fondateur du Concert spirituel d'Amsterdam.

2. Concert public de musique religieuse à l'Opéra durant la quinzaine de Pâques (où, en raison des fêtes catholiques, il ne pouvait y avoir de représentations lyriques), le Concert spirituel est devenu en 1725 une institution permanente, installée au château des Tuileries. Il fait entendre de grands solistes et consacre la musique instrumentale. — Les frères Domenico et Lodovico Ferrari de Plaisance et le Piémontais Chiabran furent violonistes et violoncelliste au Concert spirituel.

3. C'est l'attitude qui est fixée par le frontispice de l'édition de 1821 (voir Notice, p. 2).

Page 70.

1. Giuseppe Mateo Alberti (1685-1751) est de Bologne, il est loué par Diderot dans les *Leçons de clavecin* de Bemetzrieder

(1771 ; voir p. 134, n. 1) comme «toujours nouveau» «et toujours difficile» et qui «veut être joué avec délicatesse et goût» (D.P.V., t. XIX, p. 194). — Baldassare Galuppi (1706-1785) est de Burano, il a longtemps séjourné à Saint-Pétersbourg et composé de nombreux opéras bouffes.

2. «Il n'y a pas à proprement parler de *piano* ni de *forte* au clavecin, les nuances sur cet instrument étant de timbre plutôt que d'intensité» (H. Coulet).

3. Rousseau définit le *triton* comme un «intervalle dissonant composé de trois tons, deux majeurs et un mineur, et qu'on peut appeler *quarte superflue*», la *quinte superflue* comme une quinte «composée de quatre degrés diatoniques, arrivant au cinquième son», mais altérée parce que augmentée d'un demi-ton, la *dominante* comme la note qui est «une quinte au-dessus de la tonique» et le genre *enharmonique* comme «une progression particulière de l'harmonie qui engendre, dans la marche des parties, des intervalles *enharmoniques*, en employant à la fois ou successivement entre deux notes qui sont à un ton l'un de l'autre le bémol de l'inférieure et le dièse de la supérieure» (*Dictionnaire de musique, Œuvres complètes*, Bibl. de la Pléiade, t. V, p. 1135, 1004, 783 et 803-804). Yoichi Sumi souligne cette incursion de termes techniques dans l'œuvre littéraire, qu'il met en relation avec «la diffusion de la musique instrumentale et de la partition musicale dans la sphère, même privée, de la société française» («L'enfant prodige et le musicien raté. Mozart et le neveu de Rameau», *Ici et ailleurs : le xviiie siècle au présent. Mélanges offerts à Jacques Proust*, Tokyo, 1996, p. 172).

Page 71.

a. de bruit *(L et V).*

1. À la fin du xviiie siècle, Mercier oppose le jardin du Luxembourg au Palais-Royal : «Tandis que le Palais-Royal regorge de courtisanes, de libertins blasés et qu'on y tient tout haut les propos les plus indécents, le Luxembourg offre une promenade sage, tranquille, solitaire, philosophique» (*Tableau de Paris*, éd. cit., t. II, p. 1197). C'était le jardin le plus proche du domicile de Diderot.

2. Pluche ou peluche : étoffe de soie dont on a laissé le poil long.

3. Allée des soupirs: allée de platanes, à la place de l'actuelle rue de Fleurus.

Page 72.

1. La mésentente entre les époux Diderot n'était pas un mystère.

2. Ursule Nicole Félix Fruchet épousa Jean-François Rameau à l'église Saint-Séverin, le 3 février 1757. Elle mourut en 1761: voir la fin du dialogue, p. 151.

3. Rebéquer: «ne se dit qu'avec le pronom personnel et signifie, se révolter ou perdre le respect contre l'autorité d'un supérieur domestique» (Furetière).

4. Marie-Angélique Diderot est née le 2 septembre 1753.

Page 73.

1. La fable: la mythologie.

Page 74.

1. L'*Encyclopédie* consacre un long article aux «Éléments des sciences», définis comme les «propositions ou vérités générales qui servent de base aux autres et dans lesquelles celles-ci sont implicitement enfermées». «Ces propositions réunies en un corps formeront, à proprement parler, les *éléments* de la science, puisque ces éléments sont comme un germe qu'il suffirait de développer pour connaître les objets de la science fort en détail» (t. V, p. 491). C'est ainsi que Diderot a composé des *Éléments de physiologie* (vers 1780), d'Alembert des *Éléments de musique théorique et pratique suivant les principes de M. Rameau* (1752).

Page 75.

1. On pense à la vision nocturne du géomètre dans *Le Rêve de d'Alembert*.

2. Marie-Jeanne Lemière (1733-1786) fit carrière à l'Opéra. Le rôle de vestale pourrait appartenir à l'acte du feu dans *Les Éléments* (1721) du poète Roy, repris en 1754. La mode est alors à ces figures de vierges romaines: voir M. Delon, «Mythologie de la vestale», *Dix-huitième siècle*, 27, 1995. — Sophie Arnould (1740-1802) défraya la chronique par son talent et ses

amours tumultueuses, en particulier avec le comte de Laura-guais (1733-1824). Rompant avec lui en 1761, elle succède à Mlle Hus dans les faveurs de Bertin. Diderot en raconte certains épisodes à Sophie — Louis-Antoine Bertin de Blagny dont J. Fabre rappelle qu'il ne doit pas être confondu avec son cousin Henri Léonard Jean-Baptiste Bertin d'Antilly (1719-1792) serait l'auteur d'une pièce de marionnettes, *Les Philosophes de bois* (1760). Il collabora également au livret de *L'Île des fous* (voir p. 120, n. 1). — Didier François d'Arclais de Montamy, ami de Diderot et de d'Holbach, travaillait dans le laboratoire de chimie du comte de Lauraguais. Diderot publia le manuscrit posthume de Montamy, *Traité des couleurs pour la peinture en émail et sur la porcelaine* (1765).

Page 76.

1. L'Italienne est sans doute la signora Farinella qui débuta en 1775 au Concert spirituel (voir p. 69, n. 2) et aurait également chanté aux Concerts des amateurs. — Pierre Louis Dubus, dit Préville (1721-1799), fait carrière à la Comédie-Française. Il se fait remarquer dans une reprise du *Mercure galant ou la Comédie sans titre* (1679) de Boursault, où il jouait cinq rôles. — Marie Françoise Marchand, dite la Dumesnil (1713-1803), est à nouveau attaquée par Diderot dans le *Paradoxe sur le comédien* (Folio, p. 42) alors qu'il la considérait pourtant dans les *Entretiens sur le Fils naturel* comme un exemple du génie inventif de la déclamation.

2. Mlle Clairon : voir p. 49, n. 2.

3. « Voltaire est mort » : « le bruit en avait couru, en effet, à trois reprises : à la fin de 1753, à l'automne 1760, au printemps 1762, au moment de la campagne pour la réhabilitation des Calas » (J. Fabre).

4. Les colporteurs assurent la vente au détail de la mercerie mais aussi de la librairie. Ils diffusent également les ragots. Tel est *Le Colporteur* (1761) de François-Antoine Chevrier (1721-1762) : voir n. 3, p. 113.

5. Doguin : petit dogue, alors à la mode. Sur le goût pour les animaux de compagnie à l'époque, p. 110, n. 1.

Page 77.

1. Rabattre : expression d'escrime pour « détourner un coup »,
« le parer ».

2. Quatre Javillier s'illustrèrent comme danseurs à l'Opéra
durant la première moitié du xviiie siècle.

Page 78.

1. Le baron de Bagge (ou Bacq), gentilhomme hollandais,
se piquait de musique et organisait des concerts dans son hôtel,
place des Victoires. Les leçons que donne Rameau ressemblent
à celles dont se moque le roman contemporain. Le prince
Angola chez La Morlière est entouré de plusieurs maîtres
inutiles. « Un autre, se regardant avec complaisance devant un
clavecin, cherchait plutôt à faire briller sa main qu'à former
celle de son disciple, fredonnait un morceau d'opéra à la
mode, s'interrompait dix fois pour tirer cinq ou six montres
différentes, jouait l'affairé et feignait d'être asservi à la minute.
C'était Mme une telle qui l'attendait, qui avait la fureur de ne
chanter jamais qu'au lit ; il devait dîner chez la duchesse de...
et avait promis de passer l'après-dînée à la grille du couvent
de... Il serait obligé de manquer de parole à l'une ou à l'autre,
car on n'est pas de fer ; quant au souper, il était clandestin au
fond d'un faubourg, avec de jolies femmes dont on était la
coqueluche, et tout cela était dit avec un sourire du coin de la
bouche et avec un air de mystère qui mettait le comble au
faquinisme du personnage » (La Morlière, *Angola. Histoire
indienne. Ouvrage sans vraisemblance* [1746], Éd. Desjonquères,
1991, p. 48 ; voir ci-dessous p. 88, n. 1).

2. Après Port-Royal, l'*Encyclopédie* distingue la grammaire
générale, « science raisonnée des principes immuables et généraux de la parole prononcée ou écrite dans toutes les langues »,
et la grammaire particulière qui applique ces principes généraux aux « institutions arbitraires et usuelles » des langues par-
ticulières (t. VII, p. 842). Le Neveu accepte l'idée d'une morale
universelle, formule choisie comme titre par d'Holbach dans
ses *Éléments de morale universelle* (1790).

3. Nicolas Beauzée a rédigé les articles « Gallicisme » et
« Idiotisme » de l'*Encyclopédie*. Il y définit ce dernier comme
« une façon de parler éloignée des usages ordinaires, ou des lois

générales du langage, adaptée au génie propre d'une langue particulière» (t. VIII, p. 497).

4. Rameau glisse d'un sens strictement linguistique à un emploi plus large qui désigne les façons de parler et de se conduire, propres à chaque métier, à chaque nation. La déformation professionnelle risque de devenir préjugé et fausseté, d'où le sens déjà attesté à l'époque d'idiotisme comme bêtise : voir Caroline Jacot-Grapa, *L'Homme dissonant au XVIIIe siècle*, Studies on Voltaire, 354, 1997, p. 84-85. «La métaphorisation des idiotismes déplace la question de l'exception, du domaine de la langue, de la grammaire, vers celui de la société en général» (*ibid.*, p. 87).

Page 79.

1. Entortillage : néologisme de l'époque. On se souvient du personnage de Girgiro l'entortillé dans *Les Bijoux indiscrets* (Folio, p. 211 et 214). On trouve aussi *entortillage* dans les *Mémoires* de Beaumarchais contre Goëzman (1774), dans *Les Helviennes* de l'abbé Barruel (1781), etc.

Page 80.

1. La basse fondamentale est «celle qui n'est formée que des sons fondamentaux de l'harmonie», elle ne peut donc «avoir d'autre contexture que celle d'une succession régulière et fondamentale». «Pour bien entendre ceci, il faut savoir que, selon le système de M. Rameau que j'ai suivi dans cet ouvrage, tout accord, quoique formé de plusieurs sons, n'en a qu'un qui lui soit fondamental» (Rousseau, *Dictionnaire de musique*, Bibl. de la Pléiade, t. V, p. 654).

2. Cette tirade du Neveu a sans doute inspiré à Louis Ménard le dialogue «Le Diable au café», publié dans la *Revue germanique* de juin 1864 et présenté comme un «Manuscrit inédit de Diderot». Le diable y déclare : «La vie ne s'entretient que par une série de meurtres, et l'hymne universel est un long cri de douleur de toutes les espèces qui s'entre-dévorent» (cité par Yoichi Sumi, *«Le Neveu de Rameau». Caprices et logiques du jeu*, France Tosho, 1975).

3. Anne-Marie Pagès, dite la Deschamps (1730-1764), et Marie-Madeleine Morelle, dite la Guimard (1743-1816), sont

des danseuses, en même temps que de grandes courtisanes qui ont collectionné les amants prestigieux et englouti des fortunes. Une nouvelle à la main annonce le décès de la première en janvier 1764 : «Notre Laïs moderne, la Deschamps, si fameuse par ses débauches, par son luxe et par le prix excessif qu'elle mettait à ses faveurs, vient de mourir d'une maladie digne de la vie qu'elle avait menée» (cité par Érica Marie Benabou, *La Prostitution et la police des mœurs au XVII* siècle, Perrin, 1987, p. 377). — La Guimard eut sans doute plus de talent que la Deschamps et Diderot la fréquenta en 1768.

Page 81.

a. troupe du trésorier des P^es Cas^lles *(V1)*, troupe du trésorier des parties casuelles *(V3)*.

1. Le *tour du bâton* est le bénéfice qu'on s'accorde au-delà de ce qui est dû.

2. Un gueux revêtu est un «homme de rien, qui a fait fortune, et qui en est arrogant» (Féraud).

3. Vilmorienne : adjectif composé à partir du nom de Philippe Charles Legendre de Villemorien (ou Vilmorien), fermier général et gendre de Bouret (voir p. 94, n. 1).

4. «*Contes* se dit aussi des histoires plaisantes, vraies ou fausses, que l'on fait dans la conversation pour amuser, railler, médire, etc.» (*Trévoux*).

5. De Saur développe : «tous les égarements d'imagination, tous les genres de dépravation et de crimes d'amour» (p. 87).

Page 82.

a. le maintien *(L et V)*.
b. bons vins *(L et V)*.

1. *Caton* est le «nom qu'on donne à un homme sage, sévère, modeste, retenu», mais «faire le *caton*» est «affecter d'être sage» (*Trévoux*). «On le dit familièrement d'un homme sage ou qui affecte de l'être» (Féraud). Plus loin, Diderot invente *catoniser* (p. 88). Rabelais utilisait l'adjectif *catonien*, les frères Goncourt parleront de *catonisme*.

Page 83.

1. Comme l'a montré Jean Fabre, cette sagesse de Salomon

est une extrapolation à partir de quelques formules de l'*Ec-clésiaste*, tirées de leur contexte (V, 18, VIII, 7-9). Voltaire consacre à Salomon un article du *Dictionnaire philosophique* (Folio, p. 469) où il le traite de «philosophe épicurien» et de «matérialiste». Voltaire et Diderot ont été sans doute influencés par *Solomon*, poème de l'Anglais Matthew Prior (voir J. Varloot, «Diderot et Salomon», *Du baroque aux Lumières. Pages à la mémoire de Jeanne Carriat*, Rougerie, 1986). Le narrateur de la version primitive des *Deux Amis de Bourbonne* ironise également: «Sur ce je m'en tiens à la morale d'un grand roi qui avait à lui seul sept cents femmes, sans oser pourtant vous prescrire d'être aussi grand et aussi sage que lui; il n'appartient pas à tout le monde d'imiter Salomon» (*Les Deux Amis de Bourbonne*, Folio, p. 144).

2. Rameau parle comme Dortidius, la figure-charge de Diderot dans *Les Philosophes* de Palissot: «Je m'embarrasse peu du pays que j'habite; / Le véritable sage est un cosmopolite [...]. Fi donc! c'est se borner que d'être citoyen. / Loin de ces grands revers qui désolent le monde, / Le sage vit chez lui dans une paix profonde; [...] / Il est son seul monarque et son législateur» (acte III, sc. IV, *Théâtre du XVIIIe siècle*, Bibl. de la Pléiade, t. II, p. 190-191). Telle est aussi la position du *Cosmopolite* (1750) de Fougeret de Monbron qui prend comme exergue la formule des *Tusculanes* de Cicéron: «*Patria est ubicumque est bene.*» Jean-Jacques Rousseau présente au contraire l'expression «*Ubi bene, ibi patria*» (là où je suis bien, là est ma patrie) comme la devise des riches égoïstes (*Émile*, Bibl. de la Pléiade, t. IV, p. 681). Les Lumières hésitent entre le patriotisme vanté par l'article de l'*Encyclopédie* comme participation à un État qui respecte ses citoyens ou par Rousseau qui investit sa Genève natale d'une charge affective et le cosmopolitisme d'un Voltaire qui conclut l'article «Patrie» du *Dictionnaire philosophique*: «Telle est donc la condition humaine, que souhaiter la grandeur de son pays c'est souhaiter du mal à ses voisins. Celui qui voudrait que sa patrie ne fût jamais ni plus grande ni plus petite, ni plus riche ni plus pauvre serait le citoyen de l'univers» (Folio, p. 420).

Page 84.

1. À sa chose : à ce qui lui convient, dans son domaine de compétence. « Heureuse la société où chacun serait à sa chose, et ne serait qu'à sa chose ! » (*Satire première*).

2. Diderot définit le besoin dans l'*Encyclopédie* comme « un sentiment désagréable occasionné par l'absence aperçue et la présence désirée d'un objet » (t. II, p. 213).

Page 85.

1. J. Fabre rappelle les confidences de Diderot au comte d'Escherny : « J'ai vécu pour le bonheur et je ne l'ai pleinement goûté que dans les orgies que nous faisions chez Landès [fameux traiteur de l'époque] où je jouissais avec excès de tous les plaisirs des sens et plaisirs de l'esprit, dans des conversations vives, animées, avec deux trois de mes amis, au milieu des plus excellents vins et des plus jolies femmes. Je rentrais la nuit chez moi, à moitié ivre, je la passais entière à travailler et jamais je ne me sentais plus de verve et de facilité » (D'Escherny, *Mélanges de littérature, d'histoire et de philosophie*, Paris, 1811). — Une anthologie scolaire au début de la IIIe République cite ce passage du *Neveu* sous le titre « Le vrai bonheur », mais en censure la dimension sexuelle : « j'ai un cœur et des yeux ; mais je ne vous dissimulerai pas [...] » (*Diderot. Extraits à l'usage des classes supérieures de l'enseignement secondaire*, par Eugène Fallex, Delagrave, 1888, p. 358).

2. Diderot répète à propos de Voltaire dans une lettre à Falconet : « Il a commencé par être un grand homme, il finit par être un homme de bien. Il a écrit *Zaïre* à trente ans, et vengé les Calas à soixante et dix. Quel homme, mon ami, que ce Voltaire » (*Correspondance*, t. VII, p. 63). Il insiste dans l'*Essai sur les règnes de Claude et de Néron* : « j'aimerais mieux avoir fait une belle action qu'une belle page, c'est la défense des Calas et non la tragédie de *Mahomet* que j'envierais à Voltaire » (Livre II, § 47). « Quelle comparaison d'une belle ligne, quand je saurais l'écrire, à une belle action ? On n'écrit la belle ligne que pour exhorter à la bonne action, qui ne se fait pas » (*ibid.*, § 79). Voir J.-C. Bonnet, *Naissance du Panthéon. Essai sur le culte des grands hommes*, Fayard, 1998, p. 194 et suiv.

Page 86.

1. L'histoire a été rapportée à Diderot par son héros lui-même, le père Hoop, vieil Écossais qui fréquente le château de Grandval, chez d'Holbach. Diderot la raconte à Sophie, le 14 octobre 1760.

2. Selon la formule de Robert Mauzi, Diderot célèbre les «noces presque mystiques du bonheur et de la vertu», mais il montre les limites de cette assimilation, tant pour le jouisseur cynique que pour le génie au-dessus de la morale («Les Rapports du bonheur et de la vertu dans l'œuvre de Diderot», *CAIEF*, 1961).

Page 87.

1. *Bistourner* un cheval ou un autre animal, c'est «lui tordre deux fois les testicules pour les rendre inhabiles à la génération» (*Trévoux*).

2. Insociable : le *Trévoux* de 1771 lexicalise l'adjectif. «On le dit au moral de celui qui a des qualités opposées à la société, qui se refuse à tout ce qui lie les hommes entre eux. Les hommes fantasques, bizarres, capricieux, quinteux, bourrus sont *insociables*.» Alors que Dieu «a créé l'homme sociable» (*La Religieuse*, p. 151), que «l'homme est né pour la société» (p. 196), une religion mal entendue isole les individus. Diderot s'oppose ici à Jean-Jacques Rousseau.

Page 88.

1. Jacques Rochette de La Morlière (1719-1785), issu d'une famille parlementaire de Grenoble, a renoncé aux carrières juridique et militaire que lui proposaient ses parents, pour vivre à Paris dans la bohème littéraire. C'est «un déclassé qui demande à la littérature une réinsertion sociale» (Raymond Trousson, *Le Chevalier de La Morlière. Un aventurier des lettres au XVIIIe siècle*, Bruxelles, Palais des académies, 1990). Il publie des romans libertins, *Angola, histoire indienne* (1746) et *Les Lauriers ecclésiastiques* (1747), ainsi que des récits pathétiques, *Mylord Stanley, ou le Criminel vertueux* (1747), *Mirza-Nadir* (1749), *Le Fatalisme ou Collection d'anecdotes* (1769). Il s'essaie aussi au théâtre, sans parvenir à une réelle reconnaissance, et glisse vite dans toutes les combines et les trafics de

cette bohème littéraire, ce qui lui vaut des séjours en prison. Il dirige notamment la claque qui fait payer ses applaudissements et ses chahuts au théâtre. «Selon Favart, il avait à sa solde plus de cinquante vauriens qui lui obéissaient au doigt et à l'œil» (Maurice Lever, *Théâtre et Lumières*, Fayard, 2001, p. 64).

2. On ne reproche bien aux autres que ses propres défauts. Alexis Piron (1689-1773), originaire de Dijon comme le Neveu, présente ce dernier comme «lion à la menace, poule à l'exécution, aigle de tête, tortue et belle écrevisse des pieds» (dans André Magnan, *Rameau le neveu*, p. 109).

3. Par son succès et le nombre de ses rééditions, l'*Histoire de Don B****, *portier des chartreux* (1741), attribuée à Jean-Charles Gervaise de La Touche (1715-1782), est devenu le prototype du roman érotique. — L'Italie du xvie siècle a vu successivement paraître plusieurs séries de gravures érotiques qu'on a associées aux sonnets de l'Arétin, les *Sonnets luxurieux*, consacrées aux postures amoureuses (*I Modi*): celle de Jules Romain, gravée par Marc Antoine Raimondi en 1524, celle du Titien en 1527 et celle enfin d'Augustin Carrache, à la fin du xvie siècle, intitulée *Les Amours des Dieux*. Ces recueils ont été diffusés et réimprimés clandestinement à travers l'Europe. En 1798, Didot imprime à Paris *L'Arétin d'Augustin Carrache, ou Recueil de postures érotiques* (À la Nouvelle Cythère). La collection Nordmann offre un bel échantillon de ces éditions: *Éros invaincu. La Bibliothèque Gérard Nordmann*, Genève-Paris, Éditions Cercle d'art, 2004, nᵒ 1-8. Pour les gravures, voir *Romanciers libertins du xviiie siècle*, t. I, Bibl. de la Pléiade, 2000.

4. Justine est aussi le nom de la suivante de Rosalie dans *Le Fils naturel*. En 1834, Balzac évoquera encore la *Justine* de Sade comme un «livre qui a un nom de femme de chambre» (*La Fille aux yeux d'or*, Folio, p. 332).

5. Sur Caton comme donneur de leçon, voir p. 82 et n. 1. *Catoniser* semble une création de Diderot, l'époque crée également *marivauder*, *voltairiser* ou *mesmériser*.

Page 89.

1. Marian Hobson assimile cette réaction au spasme ana-

lysé par la médecine du temps comme effet d'une violence extérieure. «Le Neveu est travaillé par des gestes dont il n'est pas pleinement propriétaire» («Pantomime, spasme et parataxe dans *Le Neveu de Rameau*», *Revue de métaphysique et de morale*, avril-juin 1984, p. 205).

Page 90.

   a. la machine se referme *(L et V).*

   1. *Pétaudière* est, selon *Trévoux*, un «terme de raillerie et de plaisanterie, pour dire une assemblée sans ordre, un lieu où chacun fait le maître».

   2. Père Noël : bénédictin de Reims, fabricant d'instruments d'optique, «peut-être un peu charlatan», suggère J. Fabre.

   3. Le Neveu se réfère conjointement à plusieurs modes du milieu du siècle : les pantins, les pagodes et les automates. Selon Élisabeth Bourguinat, les pantins, «ces figurines en carton, animées par des ficelles», représentant des personnages grotesques, font leur apparition vers 1745. Desaulx compose la fable «Le Philosophe et le Pantin» et Lattaignant une chanson, «Les Pantins» (*Le Siècle du persiflage, 1734-1789*, PUF, 1998, p. 135). Voir aussi plus loin p. 140.

   4. Les petites-maisons sont, à l'âge classique, le lieu d'enfermement des aliénés, mais aussi celui de leur exposition, de leur visibilité. On va voir les fous, rire de leurs contorsions, jusqu'à ce que cette curiosité apparaisse comme déplacée, durant les années mêmes où Diderot compose *Le Neveu de Rameau*.

   5. Les pagodes, «figurines grotesques à la tête articulée, importées de Chine», suscitent déjà une chanson, dans *Les Amours anonymes* de Louis de Boissy (1735), dont le refrain est «Tout est pagode de la Chine» (É. Bourguinat, *Le Siècle du persiflage*, p. 134). Voir plus loin, p. 140. Mme Du Châtelet illustre cette passion. «On relève plus d'une cinquantaine de pagodes dans ses résidences de Paris et d'Argenteuil, alors qu'à Cirey "des choses infinies dans ce goût-là" ornent les appartements du château» (*Madame Du Châtelet. La Femme des Lumières*, sous la direction d'Élisabeth Badinter et Danielle Muzerelle, Bibliothèque nationale de France, 2006, p. 60). Sur cette mode, voir Danielle Kisluk-Grosheide, «The Reign of Magots and Pagodes» *Metropolitan Museum Journal*, 37, 2002.

6. L'époque se passionne pour les automates de Vaucanson (1709-1782), notamment son *Flûteur* (1738) qui exécute des morceaux de musique et son *Canard* (1741) qui digère ce qu'il mange. Voir p. 68, n. 2.

Page 91.

1. Madame Bouvillon: héroïne obèse du *Roman comique* (1651-1657) de Scarron.

2. Variation ironique sur un thème fondamental du matérialisme de Diderot. Il lui a consacré un bref essai, *Principes philosophiques sur la matière et le mouvement* (1770).

3. *Item*, qui signifie «de plus», caractérise un état, un compte ou, ici, «un mémoire récapitulatif des griefs contre Mlle Hus» (J. Fabre).

4. Le thème est développé dans l'essai *Sur les femmes* en 1772.

Page 92.

a. Palissot, Fréron, Bret, Poinsinet, Resseguier *(V3).*

1. «Les *grouillements*, les hoquets d'un estomac vide et souffrant» (de Saur, p. 110).

2. Sur Palissot, Fréron et Poinsinet, voir p. 58, n. 3. François Thomas Marie Baculard d'Arnaud (1718-1805) commença sa carrière littéraire par des pièces d'inspiration philosophique. Il est aidé par Voltaire qui le fait inviter à Berlin, mais la malice du roi de Prusse exploite la rivalité entre les deux écrivains et Baculard bascule du côté de l'antiphilosophie.

3. «Homère n'a point oublié de célébrer Stentor, dont la voix plus éclatante que l'airain, pouvait servir de trompette, et se faisait entendre plus loin que celle de cinquante hommes des plus robustes» («Héraut», *Encyclopédie*, t. VIII, p. 144).

4. L'occasion et le moment indiquent, dans le vocabulaire libertin, l'instant de faiblesse dont le séducteur doit profiter. Un recueil de Mérard de Saint-Just s'intitule *L'Occasion et le moment ou les petits riens* (1782).

Page 93.

1. Une *comminge* est une «espèce de mortier plus gros que

les mortiers ordinaires et qui jette des bombes dont le poids va jusqu'à 500 livres» (*Encyclopédie*, t. III, p. 701). — Un *contendant* est un «concurrent, compétiteur, qui aspire à quelque chose, qui la dispute contre un autre» (*Trévoux*).

2. J. Fabre et J. Chouillet interprètent «faire perdre tout bon sens à ceux qu'on flatte». H. Coulet préfère lire le «talent de faire» comme maestria, propre aux fous.

Page 94.

1. Étienne Michel Bouret (1710-1777), mécène des antiphilosophes, ancien domestique ayant acquis une grande fortune en devenant trésorier général de la maison du roi, puis fermier général, administrateur général des postes et directeur du personnel des Fermes. Voir p. 81, n. 3.

2. L'anecdote est rapportée par Pidansat de Mairobert dans *L'Espion anglais* (1777-1785, 10 vol.), le 2 janvier 1774. «M. de Machaut avait perdu une levrette qu'il aimait beaucoup; le sieur Bouret en fait chercher une exactement semblable; il la trouve, il la prend chez lui» et la dresse. Mairobert conclut: «On sent combien un homme capable d'une constance aussi minutieuse et aussi recherchée doit réussir auprès des grands.» — Le livre de la félicité était un registre manuscrit, offert au roi, comportant à chaque page une seule et même mention: «Le Roi est venu chez Bouret.» Ce jour-là, l'hôte avait disposé tout au long de la route des piqueurs et des paysans portant des flambeaux.

3. Gimblette: pâtisserie sèche en forme d'anneau. On connaît les scènes peintes par Fragonard, *Jeune fille faisant danser son chien sur son lit* et *La Gimblette*. La forme de la gimblette en a fait une métaphore sexuelle. Voir Pierre Rosenberg, *Fragonard*, Éd. R.M.N., 1987, nº 110, p. 232-235.

Page 95.

1. Thème satirique traditionnel des anciens officiers, décorés de la croix de Saint-Louis, réduits à la misère. L'ordre de Saint-Louis était en effet un ordre purement honorifique.

2. *Aller au grand* est une expression qui caractérise l'ambition mondaine et le cynisme libertin. «On ne va pas au grand, si l'on n'est intrépide», déclare le méchant de Gresset (*Le*

Méchant, acte II, sc. ix). Crébillon, Dorat, Sade font tenir le même langage à leurs roués (Crébillon, *Les Égarements du cœur et de l'esprit*, Folio, p. 249 ; Dorat, *Les Malheurs de l'inconstance*, Desjonquères, 1983, p. 71 ; Sade, *Aline et Valcour*, *Œuvres*, Bibl. de la Pléiade, t. I, p. 502, *Les Infortunes de la vertu*, t. II, p. 9).

Page 96.

a. « Cela vous ferait un honneur singulier » *(V1 et V3).* « Vous passeriez pour un homme extraordinaire » (de Saur). « Vous feriez un homme singulier » (Brière, 1823). *J. Fabre propose de comprendre : « Vous serait-ce un honneur singulier ? » J. Chouillet interprète la phrase comme faisant suite à la proposition conditionnelle : « Si cela était écrit, cela vous ferait-il un honneur singulier ? » H. Coulet risque la lecture : « Je crois qu'on m'accorderait quelque génie, / [et qu'on] vous ferait un honneur singulier », mais conclut : « La construction n'en serait pas moins bizarre. »*

1. Cette attitude de persiflage est rapprochée par Élisabeth Bourguinat du « profond salut et grimace en dessous » qui, selon *La Dramaturgie de Hambourg* (1768) de Lessing, caractériserait Voltaire (*Le Siècle du persiflage*, PUF, 1998, p. 168). Le terme *persifler* apparaît p. 113 et n. 2.

2. Association satirique des guerriers (César, Turenne, Vauban) et des mondains (la chanoinesse de Tencin, mère de d'Alembert, épinglée dans *Le Rêve de d'Alembert*, son frère, devenu cardinal, et l'abbé Trublet, plus connu pour ses essais littéraires, voir p. 56, n. 2).

Page 97

1. Diderot parle dans *Les Bijoux indiscrets* d'un « ton minaudier » (chap. 37, Folio, p. 198). *Trévoux* précise que « le mot est adjectif et substantif » et qu'on dit d'une femme « qu'elle est trop minaudière, et que c'est une minaudière ». Féraud juge le mot familier. — Marie-Anne Botot, dite Dangeville (1714-1796), fut une spécialiste des rôles de soubrette à la Comédie-Française. Pour la Clairon, voir p. 49, n. 2.

2. Terme technique du vocabulaire théâtral. « On dit qu'un

acteur a des *entrailles*, et cela signifie qu'il s'affecte de la situation de la pièce, et la rend avec chaleur et vérité» (*Académie*).

3. Parties casuelles: «on entend par ce mot la finance qui revient au roi des offices vénaux qui ne se sont pas héréditaires» (*Encyclopédie*, t. XII, 104). Jeu de mots sur la fonction de trésorier de Bertin et sur ses attributs d'amant de Mlle Hus, que l'on retrouve dans la *Correspondance* de Voltaire, le 11 octobre 1761: «D'abord vous saurez que je ne suis point le Bonneau du Bertin des parties casuelles, que je n'ai nulle part à la tuméfaction du ventre de Mlle Hus, que je ne lui ai jamais rien fait ni rien fait faire, ni rôle, ni enfant.» Voir également p. 113, n. 3.

Page 98.

1. La formule complète du Prologue des *Satires* de Perse est «*Magister artis ingenique largitor / Venter*». Elle répond à une question: «Qui a permis au perroquet de dire bonjour et aux pies de répéter nos paroles? C'est le ventre, maître de l'art et pourvoyeur de l'esprit.» Le Neveu développe plus loin le thème de la ménagerie (p. 100). Voir aussi la référence à Rabelais et à «Gaster premier maistre es arts du monde» (p. 106 et n. 1). — Selon Mercier dans le *Tableau de Paris*, le Neveu «réduisait à la mastication tous les prodiges de valeur, toutes les opérations du génie, tous les dévouements de l'héroïsme, enfin tout ce que l'on faisait de grand dans le monde». «Selon lui, tout cela n'avait d'autre but ni d'autre résultat que de placer quelque chose sous la dent» (éd. cit., t. II, p. 1447).

Page 99.

1. On dit proverbialement qu'«un homme est franc comme l'osier, quand il est sincère, pliant, accommodant» (*Furetière*).

2. *Zarès* (1751), tragédie de Palissot (et non *Zara*), et *Le Faux Généreux* (1758), comédie d'Antoine Bret, furent des échecs à la représentation.

Page 100.

1. La gaieté est alors une pure extériorité sociale.

2. Cohues: les familiers de chacun de ces salons. Delis Philippe Thiroux de Monsauge était comme Philippe Charles

Legendre de Villemorien (voir p. 81, n. 3) fermier général et gendre de Bouret.

3. Mme de Tencin nommait les habitués de son salon sa ménagerie. L'image prend un sens nouveau après l'évocation des loups et des tigres. Il est fait allusion plus loin à la ménagerie du roi à Versailles (p. 112).

4. « Nul n'aura de l'esprit hors nous et nos amis » (Molière, *Les Femmes savantes*, III, 2).

5. La comédie de Palissot, *Les Philosophes*, fut en 1760 un des moments forts de l'offensive anti-encyclopédique. — Fréron avait accusé *Le Fils naturel* d'être plagié de Goldoni. Diderot accuse *Les Philosophes* de reprendre *La Femme docteur ou la Théologie janséniste tombe en quenouille*, comédie du P. Bougeant (1731).

Page 101.

1. L'abbé d'Olivet (1682-1768) est le chef du parti dévot à l'Académie, l'abbé Leblanc (1707-1781) un écrivain protégé par Mme de Pompadour et l'abbé Charles Batteux (1713-1780), l'auteur des *Beaux-Arts réduits à un même principe* (1746).

2. Le débat entre Piron et Voltaire, « entretenu par l'amour-propre des deux concurrents, était un lieu commun de la conversation au XVIIIe siècle » (J. Fabre). — Les dissertations sur le goût sont une vraie manie au milieu du XVIIIe siècle, comme le rappelle Annie Becq dans *Genèse de l'esthétique française moderne. De la raison moderne à l'imagination créatrice. 1680-1814*, Albin Michel, 1994, p. 231-352.

3. Sur Robbé de Beauveset et son poème consacré à la syphilis, voir p. 61, n. 4. Les contes qu'il débite sont dits « cyniques ». Les références à Diogène courent tout au long du dialogue (voir p. 50, n. 3 et p. 149 et n. 3). Le cynisme philosophique revendique la nature organique et animale de l'homme. Les allusions aux fonctions digestives et sexuelles abondent dans le *Neveu* (visage qui ressemble à un derrière, p. 50 et n. 5; *largitor venter*, p. 98 et n. 1; *cazzo fra due coglioni*, p. 105 et n. 6; messer Gaster, p. 106 et n. 1, etc.), aussi bien que les comparaisons animales, ici même. — Les convulsionnaires jansénistes ont intéressé Diderot lui-même.

L. Fonds Vandeul contient la copie du récit de deux séances de convulsionnaires, diffusé dans la *Correspondance littéraire* en mars 1760 et avril 1761.

4. Dans la langue classique, l'*énergumène* est un possédé du démon. L'image suit celle des convulsionnaires. Mais le terme durant le tournant des Lumières se met à indiquer une énergie débordante ou mal dirigée. Dans *Le Pauvre Diable* (1760) qu'on a pu comparer au *Neveu de Rameau*, même si seul Fréron y est visé alors que Palissot y est épargné, Voltaire évoque également les convulsionnaires : «Un reste impur de ces énergumènes, / De Saint-Médard effrontés charlatans, / trompeurs, trompés, monstres de notre temps» (*Œuvres complètes*, Garnier, t. X, p. 109). Nouvelle occurrence à propos de la grande pantomime de l'orchestre p. 127.

5. G. Monval propose de voir dans ce niais, plus malin qu'un vieux singe, Antoine Alexandre Henri Poinsinet, voir p. 58, n. 3. J. Fabre écarte cette hypothèse et suggère l'abbé Claude Henri de Fusée de Voisenon (1708-1775), auteur de romans galants.

Page 103.

1. Le Neveu tient le même discours qu'Onuphre, l'hypocrite de La Bruyère : «Il ne dit point *Ma haire et ma discipline*, au contraire ; il passerait pour ce qu'il est, pour un hypocrite, et il veut passer pour ce qu'il n'est pas, pour un dévot» (*Caractères*, «De la mode», 24). G. Monval rappelle une page de la *Correspondance littéraire* : «Le Rameau fou a, comme vous voyez, quelquefois des saillies plaisantes et singulières. On lui trouva un jour un Molière dans sa poche, et on lui demanda ce qu'il en faisait : J'y apprends, répondit-il, ce qu'il ne faut pas dire, mais ce qu'il faut faire» (septembre 1766).

Page 104.

1. Dans *La Nouvelle Raméide* (voir p. 57, n. 3), le Rameau imaginé par Cazotte regrette le temps des bouffons de cour et leur liberté critique.

2. Dans le sillage de Michel Foucault, J.-M. Moureaux insiste sur «l'entière réversibilité des rôles» qui est atteinte ici («Le rôle du fou dans *Le Neveu de Rameau*», *Le Siècle de Vol-*

taire. Hommage à René Pomeau, éd. Ch. Mervaud et S. Menant, Oxford, Voltaire Foundation, 1987, p. 688).

3. Nicolas Corby et Pierre Moette ont dirigé l'Opéra-Comique à la suite de Jean Monnet, sans parvenir à rétablir ses comptes. La salle fusionne avec la Comédie-Italienne en 1762. Diderot possédait dans sa bibliothèque les *Mémoires de* Jean Monnet qui contient l'histoire des mystifications qu'on a fait subir à Poinsinet.

4. Tous ces titres témoignent de l'explosion de la presse à l'époque. Après *journaliste* qui date du début du XVIIIe siècle, *feuilliste* et *folliculaire* sont des néologismes contemporains de ce développement dans la seconde moitié du siècle. Beaumarchais dénonce une République des lettres livrée à «tous les insectes, les moustiques, les cousins, les critiques, les maringouins, les envieux, les feuillistes, les libraires, les censeurs». *Folliculaire* est lexicalisé, tandis que *feuilliste* n'est reçu que dans la *Néologie* (1801) de Mercier (voir Gunnar von Proschwitz, *Idées et mots au siècle des Lumières*, Göteborg-Paris, Touzot, 1988, p. 186-190).

5. L'abbé Joseph de La Porte (1714-1779) fut l'adjoint, puis le rival de Fréron. Il rédigea *L'Observateur littéraire* de 1758 à 1761 et fut un polygraphe infatigable. A.-M. Chouillet a collectionné les jugements souvent défavorables sur le personnage dans le *Dictionnaire des journalistes*, Jean Sgard, dir., Oxford, Voltaire Foundation, 1999, p. 566-569.

Page 105.

a. Le manuscrit porte comme. *Nous corrigeons.*

1. L'abbé de La Porte est accusé de faire de l'argent de tout, il compile des livres et prête à usure (voir Pidansat de Mairobert, *L'Espion anglais*, III, 43; voir p. 94, n. 2).

2. Pour payer un fiacre.

3. Stéréotype du poète crotté, «tiré de la galerie des travailleurs intellectuels ridicules que composent la comédie, le roman comique ou la satire, de Régnier à Lesage en passant par Viau, Saint-Amant, Sorel, Furetière, Boileau et Molière». Il «partage certains traits, socialement dévalués, avec le pédant, le régent de collège et le docteur, tels la laideur physique, la maladresse, l'art de se montrer importun, bavard, prolixe et

obscur» (Pascal Brissette, *La Malédiction littéraire. Du poète crotté au génie malheureux*, Les Presses de l'Université de Montréal, 2005, p. 113).

4. L'immigration savoyarde est importante dans le Paris du XVIIIe siècle. «Ils sont ramoneurs, commissionnaires, et forment dans Paris une espèce de confédération qui a ses lois», note Mercier dans le *Tableau de Paris* (chap. CCCXVIII).

5. Nous redécouvrons aujourd'hui Claude Joseph Dorat (1734-1780), romancier de qualité dans *Les Sacrifices de l'amour* (1771) et *Les Malheurs de l'inconstance* (1772), poète et dramaturge, dont la réputation a longtemps souffert des attaques du parti philosophique.

6. «Qui siège toujours comme un vit magistral entre deux couilles». On se souvient que *Les Bijoux indiscrets* recourent à plusieurs langues étrangères pour dire ce qui est inconvenant (Folio, p. 266-269) et que Voltaire fait se lamenter un castrat au chapitre XI de *Candide* : «*O che sciagura d'essere senza c...*» [Ô quel malheur d'être sans c...]. «Au bout de la phrase, l'italien supplante le français, pour qualifier en termes obscènes Lui et ses voisins. Le recours à une autre langue est ici l'indice d'une transgression : le passage d'une frontière linguistique signale le franchissement de la limite entre le décent et l'indécent. Au lieu de le censurer par l'abolition totale, on le traduit, on l'éloigne, on le transporte dans une autre région du langage. [...] Le comique de la tirade du Neveu tient pour une large part au contraste entre l'évocation du cérémonial culturel du repas (dont l'étiquette impose une certaine sublimation de l'acte naturel de manger) et le soudain étalage de la naturalité sexuelle la moins déguisée» (J. Starobinski, «Le dîner chez Bertin», *Das Komische*, Munich, W. Fink, 1976).

Page 106.

1. Au *Quart Livre*, Rabelais fait descendre Pantagruel «au manoir de messere Gaster premier maistre es arts du monde» et il explique dans la «Briefve declaration» : «Gaster : ventre» (Folio, p. 499 et 611). La Fontaine reprend l'expression dans «Les Membres et l'Estomac» où l'estomac apparaît comme «Messer Gaster» (*Fables*, III, 2).

2. *Iliade*, chant I, vers 43-52.

3. *Bélître* : «Gueux qui mendie par fainéantise, et qui pourrait bien gagner sa vie. Il se dit quelquefois par extension des coquins qui n'ont ni bien, ni honneur» (*Trévoux*). «Vieux mot pour désigner un fainéant qui mendie ou qui emprunte, fuyant toute espèce de travail. Il est bien à ressusciter de nos jours, ce mot-là» (L.-S. Mercier, *Néologie*, 1801).

Page 107.

1. On ne sait si Bertin refuse de pardonner «au premier faquin» tel que Rameau ou s'il prévoit que le «premier faquin» rencontré inspirera au Neveu une nouvelle insolence.

2. *Imbroglio* est un emprunt récent de l'italien, pour désigner, le plus souvent de façon péjorative, une intrigue complexe au théâtre ou une confusion dans la vie. Diderot critique dans le *Paradoxe sur le comédien* «ces imbroglios, ces escamotages de poignards, qui ne sont bons que pour des enfants». Voir Gunnar von Proschwitz, *Idées et mots au siècle des Lumières*, Göteborg-Paris, Touzot, 1988, p. 190-191.

Page 108.

1. Reprise du «qu'il fasse beau, qu'il fasse laid» initial. Le Neveu fait par contrainte ce que le Philosophe choisit de faire par volonté.

Page 109.

1. «Lois de la civilité» (H. Coulet).

Page 110.

1. Le XVIIIᵉ siècle voit se développer les animaux de compagnie. Le roman mondain multiplie les personnages et même les narrateurs animaux. En dehors de la mondanité, Rousseau se veut «l'ami, presque l'esclave de son chien, de sa chatte, de ses serins». Diderot est peut-être ironique à l'égard de ce misanthrope qui aux humains préfère les bêtes. Voir Jacques Berchtold, «Aimer son chien au siècle des Lumières. Jean-Jacques Rousseau dans l'héritage de ses modèles», *Chiens & chats littéraires*, Genève, Zoé, 2001, et «Les chats de Jean-Jacques Rousseau», dans Jacques Réda, Jacques Berchtold et Jean-Carlo Flückiger, *Chiens & chats littéraires chez Cingria, Rousseau et Cendrars*, Genève, La Dogana, 2002.

2. D'après Isambert et Tourneux, respectivement éditeurs du texte en 1883 et 1884, il s'agit peut-être d'une confusion avec la chaise à porteurs de Mme de Maintenon (voir Saint-Simon, *Mémoires*, Bibl. de la Pléiade, t. V, p. 576).

3. Diderot a déjà présenté le Neveu comme «familier» (p. 94). L'aisance caractérise la liberté mondaine, la distance ironique à l'égard de toutes les valeurs (voir M. Delon, *Le Savoir-vivre libertin*, Hachette, 2000, p. 67-79).

4. J. Starobinski voit dans cet échange l'exemple du chiasme à l'œuvre dans tout le texte: «Rameau dispose en ordre inverse les personnages mentionnés (ou sous-entendus) par le philosophe. Le philosophe a d'abord passé du protégé [...] au bienfaiteur. Rameau revient du bienfaiteur au protégé» («Sur l'emploi du chiasme dans *Le Neveu de Rameau*», *Revue de métaphysique et de morale*, avril-juin 1984, p. 183).

Page 111.

1. Ponce Denis Écouchard Le Brun (1729-1807) ou bien Jean Étienne Le Brun de Granville (1738-1765), son frère. Écouchard Le Brun a été un poète reconnu de son vivant, salué du surnom de Lebrun-Pindare. Après avoir polémiqué avec Fréron, il s'en est pris aux Encyclopédistes.

2. Peut-être l'abbé Rey, aumônier de l'ordre de Saint-Lazare futur auteur de *Considérations philosophiques sur le christianisme* (1785).

3. Michel-Antoine David est un des libraires de l'*Encyclopedie* auquel Diderot reproche ses caviardages des articles sensibles (voir p. 54, n. 1).

4. Palissot aurait eu l'intention de mettre en scène Helvétius aux côtés des autres Encyclopédistes dans *Les Philosophes*.

Page 112.

a. Dondon *(V1)*, Cloudon *(V3)*.

b. Bertinus *(L, V1, V2)*, Bertin *(V3)*.

1. D'après Favart et Jean Monnet, Poinsinet, l'éternelle victime des mystifications, aurait été prêt à abjurer le catholicisme pour obtenir un poste de précepteur de prince luthérien. Voir p. 104, n. 3

2. Palissot s'est mis en scène dans *L'Homme dangereux* (1770).

3. «C'est à Hobbes qu'il faut remonter pour retrouver la véritable interprétation du pacte de nature fondé sur la violence et la crainte», note J. Chouillet qui cite l'article «Hobbisme» de l'*Encyclopédie*.

4. Peut-être la comtesse de La Marck, protectrice pourtant des antiphilosophes (voir p. 64, n. 1).

5. Espèce : terme du jargon mondain, lancé par Duclos dans les *Considérations sur les mœurs* en 1751, pour stigmatiser celui dont on fait peu de cas. Voir aussi p. 133.

6. Bertinhus : Diderot orthographie ironiquement le surnom de Bertin, qui accole les noms des deux amants et qui est attesté par les *Anecdotes piquantes de Mlle Arnould* de Deville (1813).

Page 113.

1. Monsauges : voir p. 100, n. 2.

2. Le persiflage est à la fois un néologisme et un phénomène de société qui se répandent à partir des années 1740, comme le montre Élisabeth Bourguinat qui propose un portrait du Neveu en «persifleur professionnel» (*Le Siècle du persiflage*, p. 168-169). Pierre Chartier nuance : «le Neveu de Rameau, parasite persiflant autant que persiflé» (*Théorie du persiflage*, PUF, 2005, p. 162). Voir déjà p. 96 et n. 1.

3. François-Antoine Chevrier a publié en 1761 *Le Colporteur. Histoire morale et critique* qui met en scène un marchand de brochures et propagateur de ragots. Parmi eux, il rapporte l'histoire de la petite Hus et de son «receveur général des parties casuelles» (*Romans libertins du xviiie siècle*, Robert Laffont, 1993, p. 777-778).

4. Goethe et de Saur censurent l'épisode : «Ici Rameau raconta sur ses protecteurs une histoire si abominable que je n'ose la retracer. Elle était à la fois si infâme et comique ; et, en la racontant, son talent pour la satire s'élevait au plus haut degré où jamais l'esprit et la méchanceté soient parvenus.»

Page 114.

1. «La scène érotique, où le patron joue le rôle passif, renverse la supériorité er inférioté, la jouissance en angoisse, la

domination en écrasement [...]. C'est ainsi que, faisant triompher le principe de variabilité, Rameau abat et renverse ceux qui l'ont fait descendre et l'ont chassé» (J. Starobinski, «Sur l'emploi du chiasme dans *Le Neveu de Rameau*», art. cité, p. 193-194).

Page 115.

1. L'unité est le critère essentiel de la beauté, car elle renvoie à l'unité originelle et parfaite de Dieu. Ce principe augustinien est développé par Malebranche, puis par le P. André dans son *Essai sur le Beau* (1741). Diderot lui fait subir une inflexion immoraliste qu'il met ici dans la bouche du Neveu, mais qu'il reprend à son compte dans une lettre à Sophie Volland: «Un tout est beau lorsqu'il est un. En ce sens Cromwell est beau, et Scipion aussi, et Médée et Aria, et César et Brutus» (10 août 1759, *Correspondance*, t. I, p. 68). Le caractère ne correspond plus à une typologie d'origine médicale, mais à l'affirmation d'une singularité, qui prolonge la nouvelle catégorie d'individualité. Voir p. 47, n. 6.

2. Diderot situe en Avignon une escroquerie qui eut lieu au Portugal en 1731 et dont l'instigateur était un carmélite de Mantoue, le père Mecenati, qui avait conduit à la mort un riche juif. Son histoire est rapportée par Carlo Antonio Pilati di Tassulo qui le présente comme un renégat, c'est-à-dire converti par hypocrisie au judaïsme (*Voyages en différents pays de l'Europe*, 1777). Voir Morris Wachs, «The Identity of the Renégat d'Avignon», *Studies on Voltaire*, 90, 1972. Voir aussi p. 144 et n. 2.

3. Formule de la Genèse, XV, 5.

Page 116.

1. On retrouve l'*inaequalis* de la satire d'Horace à laquelle est empruntée l'épigraphe (voir p. 45, n. 1). À l'éloge de l'unité de caractère, Moi répond en soulignant l'absence d'unité chez son interlocuteur.

Page 117.

1. San-benito: «nom qu'on donne vulgairement en Espagne et au Portugal, à l'habit dont on revêt les hérétiques condam-

nés par l'Inquisition» (*Trévoux*). Depuis *Candide* en 1759, la scène est devenue l'image même de l'intolérance religieuse (voir Folio, p. 45).

Page 119.

1. Formules de *L'Étourdi* de Molière (II, sc. VIII).

2. «Du ténor» (de Saur).

3. Tenues: «Continuation d'un même ton sur une touche, tandis que les autres parties font d'autres accords» (*Trévoux*).

Page 120.

1. Egidio Duni (1709-1775), claveciniste et compositeur, dont les opéras-comiques *Le Peintre amoureux de son modèle* (1757) et *L'Île des fous* (1760, sur un livret attribué à Bertin de Blagny) furent applaudis par les philosophes.

2. Selon le principe des *Beaux-Arts réduits à un même principe* de l'abbé Batteux, c'est-à-dire l'imitation. Diderot et ses contemporains essaient de le dépasser pour comprendre la spécificité de chaque pratique artistique.

Page 121.

a. voix *(L et V).*

1. La déclamation est définie par J.-J. Rousseau dans son *Dictionnaire de musique* comme «l'art de rendre, par les inflexions et le nombre de la mélodie, l'accent grammatical et l'accent oratoire» (Bibl. de la Pléiade, t. V, p. 750).

2. Selon une suggestion de Melvin Zimmerman dans le *Bulletin baudelairien* de 1966 et de Robert Kopp dans son édition de *Petits poèmes en prose* en 1969 (Corti, repris en Poésie/Gallimard), suggestion exploitée par Yoichi Sumi dans «*Le Neveu de Rameau*». *Caprices et logiques du jeu* (p. 26-29), cette image de Diderot serait une des sources du poème en prose de Baudelaire, «Le Thyrse», dont le point de départ est la musique de Franz Liszt: «Ne dirait-on pas que la ligne courbe et la spirale font leur cour à la ligne droite et dansent autour dans une muette adoration?» (*Le Spleen de Paris*, XXXII).

3. «Je suis un pauvre misérable / Rongé de peine et de souci» et «Ô terre! voici mon or... / Conserve bien mon trésor» sont deux airs de *L'Île des fous* (voir p. 120, n. 1).

4. L'air de la petite fille qui supplie le seigneur se trouve dans *Le Jardinier et son seigneur*, «Mon cœur s'en va» dans *Le Maréchal-ferrant* sur un livret d'Anseaume (1761). Ces deux opéras sont de François André Philidor (voir p. 45, n. 6).

5. *Voie* au sens de conduite. Plusieurs éditeurs ont corrigé en *voix* (voir var. *a*).

Page 122.

1. À un personnage du *Salon de 1767* qui remarque : « Je ne sais quel auteur a dit *"musices seminarium accentus"* », son interlocuteur répond : «C'est Capella.» Il s'agit de l'érudit latin du Ve siècle, Martianus Capella, auteur d'un *De musica* dans son encyclopédie, intitulée *Les Noces de Mercure avec la philologie*. Mais Jean-Jacques Rousseau attribue la formule à Denys d'Halicarnasse dans l'article «Accent» du *Dictionnaire de musique* (voir Bibl. de la Pléiade, t. V, p. 614 et 1720).

2. Le *récitatif* est défini par Rousseau comme «une manière de chant qui approche beaucoup de la parole, une déclamation en musique, dans laquelle le musicien doit imiter, autant qu'il est possible, les inflexions de voix du déclamateur» (Bibl. de la Pléiade, t. V, p. 1007).

3. André Campra (1660-1744), André Cardinal Destouches (1672-1749) et Jean-Joseph Mouret (1682-1738) sont trois musiciens du premier demi-siècle.

4. Tintamarre : le mot reparaît sous la plume de Rousseau pour stigmatiser Rameau : «Il a rendu ses accommodements si confus, si chargés, si fréquents, que la tête a peine à tenir au tintamarre continuel des divers instruments, pendant l'exécution de ses opéras qu'on aurait tant de plaisir à entendre, s'ils étourdissaient un peu moins les oreilles» (*Lettre à M. Grimm*, Bibl. de la Pléiade, t. V, p. 272-273).

5. «Emploi classique de l'imparfait de l'indicatif là où la langue moderne met le conditionnel» (H. Coulet).

Page 123.

1. Il s'agit de deux opéras-comiques de Pergolèse (1710-1736) : *La Serva padrona*, créée à Naples en 1733 et jouée à Paris en 1746, reprise en 1752, point de départ de la querelle des Bouffons, et *Tracollo medico ignorante*, autre opéra-comique

de Pergolèse, créé à Rome en 1734, joué à Paris en 1753. Son *Stabat Mater* date de 1736. — La querelle des Bouffons, qui sévit en 1752-1754, opposa à la musique française la musique italienne où la mélodie chantée n'était pas étouffée par l'harmonie instrumentale, et où la vivacité du jeu n'était pas figée par le rituel de la représentation. Des bergers et des bergères bousculaient les dieux de l'Olympe, engoncés dans leurs habitudes, et ruinaient la hiérarchie des formes. La salle de l'Opéra se divisait entre coin du roi, fidèle au modèle national, et coin de la reine, favorable à l'innovation italienne.

2. *Tancrède* (1702) et *L'Europe galante* (1697) de Campra, *Issé* (1697) de Destouches, *Les Indes galantes* (1735), *Castor et Pollux* (1737) et *Les Fêtes d'Hébé ou les Talents lyriques* (1739) de Rameau. — *Armide* (1686) de Lulli et Quinault, régulièrement repris au XVIIIᵉ siècle.

3. Capucins de cartes : cartes à jouer pliées et découpées en forme de moines à capuche pour servir de jeu de construction, d'où l'image de la fragilité. Diderot écrit à Sophie que l'*Éloge de Descartes* par Thomas pliera les autres concurrents au concours de l'Académie «comme des capucins de carte» (21 juillet 1765).

4. François Rebel (1701-1775) et François Francœur (1698-1787), violonistes, compositeurs et directeurs de l'Opéra de 1751 à 1767.

5. La querelle musicale prend souvent des accents nationalistes, en particulier sous la plume de Rameau dans *La Raméide*. Bien des défenseurs de l'opéra italien sont des Suisses et des Allemands (J.-J. Rousseau, Grimm, d'Holbach). Voir plus loin «un étranger, un Italien, un Douni» (p. 131).

6. Académie royale du cul-de-sac : ainsi nommée à cause de l'impasse qui menait au Palais-Royal, appelée cour Orry.

7. Voir p. 120, n. 1.

8. Impasse : néologisme introduit par Voltaire pour éviter le terme selon lui malsonnant de *cul-de-sac*. Diderot ne s'est pas privé dans la page qui précède de «donner dans le cul» et de «cul-de-sac». Il emploie *impasse* au masculin.

9. Locatelli : voir p. 69, n. 1.

Page 124.

1. Voir p. 48, n. 2.

2. Refrain d'une chanson d'Antoine Houdar de La Motte (1672-1731), *Les Raretés*.

3. *Musiquer* est un vieux terme pour «mettre en musique». Il est employé par Diderot, avant de l'être par Balzac et George Sand. Voir à nouveau p. 129, 144.

4 *Les Amours de Ragonde* de Jean-François Mouret sur un livret de Destouches (1742) et *Platée* de Rameau (1749).

5. «*Tarare!* Interjection, de style familier. Bon! bon! je m'en moque, je n'en crois rien» (Féraud). L'interjection est complétée par une onomatopée, comme dans certains refrains de chansons.

Page 125.

1. Duhamel-Dumonceau (1700-1782): agronome de l'Académie des sciences, auteur notamment d'un *Art du charbonnier* (1760).

2. Aux titres déjà cités s'ajoute *Le Procès ou la Plaideuse* de Duni (1762).

Page 126.

1. «Pot-pourri d'ariettes tirées des comédies précédemment citées» (J. Fabre); voir p. 121, n. 3 et 4. «*A Zerbina penserete*» est un air de *La Serva padrona* qui sert d'épigraphe à un des manuscrits du *Paradoxe sur le comédien* (voir Jane M. Dieckmann, «A Note on Diderot's Epigraph», *Studies in Eighteenth-Century French Literature, presented to Robert Niklaus*, Exeter, 1975).

2. Le balancement *tantôt/tantôt* rappelle les *quelquefois/le mois suivant, aujourd'hui/demain* du portrait initial. De même, Piron évoque le neveu passant «de la haute-contre à la basse-taille» (lettre d'Alexis Piron à Jacques Cazotte citée dans André Magnan, *Rameau le neveu*, p. 109).

3. Ces imitations musicales contradictoires qui se succèdent brutalement sont présentées comme des spasmes, elles correspondent à «un lieu commun dans la critique musicale comme dans la symptomatologie de l'époque» (Marian Hobson, «Pantomime, spasme et parataxe dans *Le Neveu de*

Rameau », *Revue de métaphysique et de morale*, avril-juin 1984, p. 208).

4. Diderot se souvient de scènes avec ses amis : « Je les ai laissés dans le corridor, où ils faisaient, encore à deux heures du matin, des ris semblables à ceux des dieux d'Homère, qui ne finissaient point » (cité par Ph. Stewart, « Le Rire chez Diderot », *Sciences, Musiques et Lumières. Mélanges offerts à Anne-Marie Chouillet*, Ferney-Voltaire, 2002, p. 205).

5. Les *Lamentations de Jérémie* de Niccolo Jommelli d'Aversa (1714-1774) étaient régulièrement jouées au Concert spirituel pour la Semaine sainte.

Page 127.

1. La comparaison de l'être humain et de l'instrument de musique est fréquente chez Diderot. Le *Paradoxe sur le comédien* insiste sur la variété et la disponibilité du corps humain : « Un grand comédien n'est ni un piano-forte, ni une harpe, ni un clavecin, ni un violon, ni un violoncelle ; il n'a point d'accord qui lui soit propre, mais il prend l'accord et le ton qui conviennent à sa partie, et il sait se prêter à toutes » (Folio, p. 81-82). Cazotte a développé l'image d'une société composée d'êtres humains-instruments qui ont remplacé le langage par la musique : « On a perdu absolument l'usage de la parole dans le pays où vous êtes, et on y supplée par celui des instruments [...]. Il y a des instruments affectés à tous les états et à tous les âges. Il ne conviendrait pas qu'un sénateur jouât du fifre ou de la musette organisée. Les personnes consacrées à la religion ont leurs instruments affectés ; et, quand vous serez instruite de la langue, je pense, si la curiosité vous conduit à la mosquée, vous y entendrez avec plaisir l'office à la turque récité sur des harpes, et serez satisfaite de la paraphrase d'un verset de l'Alcoran, rendue sur la trompe marine » (*Ollivier, poème*, chant quatrième, *Œuvres badines et morales, historiques et philosophiques de Jacques Cazotte*, Paris, 1817, t. Iᵉʳ, p. 82-84).

2. Variante de *roucouler* que Diderot transforme en verbe transitif.

Page 128.

1. La description tourne court, remarque J. Proust. « Mais

au lieu de masquer son échec en recourant à la métaphore, comme dans la pantomime du violoniste, Diderot prend le parti de l'assumer. Et cette décision, littérairement le sauve [...]. Il efface l'opposition dialogique du *je* et du *il* pour mieux effacer momentanément la distinction du sujet de l'objet : C'était une femme... un malheureux... un temple... des oiseaux » (« De l'*Encyclopédie* au *Neveu de Rameau* : l'objet et le texte », *Recherches nouvelles sur quelques écrivains des Lumières*, Genève, Droz, 1972, p. 338).

2. Cette suggestion résume « les phénomènes de la nature qui suivent le coucher du soleil » à la fin du premier des *Entretiens sur le Fils naturel* : « On n'entend plus dans la forêt que quelques oiseaux dont le ramage tardif égaie encore le crépuscule. » Les scènes suivantes de nature violente rappellent, en pendant, la description des tempêtes de Vernet dans les *Salons*. Les *Leçons de clavecin* répètent : « Le génie musical a sur sa palette des teintes pour tous les phénomènes de la nature et toutes les passions de l'homme ; il sait peindre et le lever du soleil et la chute de chaque jour » (D.P.V., t. XIX, p. 154). Les eaux qui murmurent renvoient peut-être à la scène des Champs-Élysées dans *Orphée et Eurydice* de Gluck (1764) : voir D. Heartz, *Revue de musicologie*, LXIV, 1978.

3. Le maître des *Leçons de clavecin* affirme le pouvoir des harmonies pour évoquer « le silence et les ténèbres » (D.P.V., t. XIX, p. 155). J.-J. Rousseau remarque parallèlement : « Le sommeil, le calme de la nuit, la solitude et le silence même entrent dans les tableaux de la musique » (*Essai sur l'origine des langues*, chap. XVI). Il développe la même idée dans les articles « Imitation » et « Opéra » du *Dictionnaire de musique*.

4. Air de *Roland* de Lulli et Quinault (1685).

Page 129.

a. Nous mettons en italique ces deux citations que le manuscrit donne en romain.

1. Air de *Castor et Pollux*. C'est celui que Suzanne Simonin choisit de jouer lorsqu'elle arrive à Longchamp (*La Religieuse*, Folio, p. 77).

2. Air du *Temple de la gloire* (1745) de Rameau (sur des paroles de Voltaire).

3. «Le proverbe signifie que l'Assomption passera à son tour, comme les Rois et le carême sont passés, autrement dit que la musique française a fait son temps, qu'elle est bien morte» (J. Fabre).

4. Après avoir renouvelé la comédie sous la forme du drame, il reste à Diderot à repenser la tragédie sur le modèle grec qui ne distingue pas diction dramatique et chant. D. Heartz souligne la lucidité de son analyse : «Il revient à Diderot d'avoir souhaité, prédit et su décrire ce que réalisa Philidor dans *Ernelinde* [1767], et spécialement dans le désordre sublime du célèbre monologue» (*Revue de musicologie*, 1978, p. 251). L'héroïne est contrainte par un tyran à choisir entre la mort de son père et celle de son amant : situation tragique par excellence.

5. Le Saxon désigne Jean Adolphe Pierre Hasse (1699-1783), compositeur allemand qui obtint un tel succès à Naples que les Italiens le nommèrent *Il caro Sassone*. Henri Coulet remarque que Terradoglias ou Terradellas (1713-1751) est un compositeur espagnol travaillant en Italie et Thomas Traetta (1727-1779) un artiste italien travaillant en Russie, comme si Diderot voulait opposer «l'universalité du goût italien à l'étroitesse du goût français».

6. Pietro Trapassi, dit Métastase (1698-1782), auteur de tragédies, de livrets d'opéra et de cantates, lança un nouveau style sentimental. Il connut un succès européen. Il fut en particulier applaudi par les admirateurs parisiens de la musique italienne. Dans *La Nouvelle Héloïse*, il est le poète le plus fréquemment cité par Rousseau qui a composé une *Imitation libre d'une chanson italienne de Métastase*. Stendhal sera encore un fervent de Métastase.

7. Diderot caractérise aussi la musique comme «le plus puissant» et «le plus violent des Beaux-Arts» dans des lettres de 1771 et 1773 (*Correspondance*, t. IX, p. 215 et t. XIII, p. 139). «Comment se fait-il donc que des trois arts imitateurs de la nature, celui dont l'expression est la plus arbitraire et la moins précise parle le plus fortement à l'âme?» À cette question, les *Additions pour servir d'éclaircissements à quelques endroits de la Lettre sur les sourds et muets* suggèrent une réponse : «Serait-ce que montrant moins les objets, il laisse

plus de carrière à notre imagination, ou qu'ayant besoin de secousses pour être émus, la musique est plus propre que la peinture et la poésie à produire en nous cet effet tumultueux?» (D.P.V., t. IV, p. 100). Voir aussi les *Leçons de clavecin* (D.P.V., t. XIX, p. 351). La musique gagnerait en force de suggestion ce qu'elle perdrait en précision de la représentation.

8. Selon Collé et Chevrier, Rameau l'oncle se prétendait capable de mettre en musique *La Gazette de Hollande*.

Page 130.

1. Ce polype est l'hydre d'eau douce dont Charles Bonnet a décrit la capacité à se laisser retourner ou diviser «sans que l'économie animale en souffre le moins du monde» (*Considérations sur les corps organisés* [1762], cité par Jacques Proust, «Diderot et la philosophie du polype», *Revue des sciences humaines*, 182, 1981). Il devient pour le philosophe l'image d'une démarche intellectuelle et littéraire. L'analogie est explicitée par une lettre à Falconet de 1766 qui oppose l'argumentation abstraite au discours de l'orateur, «animal vivant», «espèce de polype», «hydre à cent têtes» (D.P.V., t. XV, 145).

2. Fragments de *Phèdre* (acte II, scène v et acte I, scène iii).

Page 132.

1. Airs d'*Armide* de Lulli et Quinault et des *Indes galantes* de Rameau (voir p. 123, n. 2).

2. Se noyer: «se noyer l'estomac» (de Saur). Les expressions *se noyer dans le vin*, *se noyer de vin* sont attestées dès le Moyen Âge.

3. Variation sur le thème de l'aveugle qui dans la *Lettre* de 1749 servait à mettre en question les évidences métaphysiques et morales et qui pose ici la question du lien entre morale et esthétique. Plus loin, Lui parlera du cœur sourd (p. 133).

4. La fibre est l'élément de base de l'organisation physique, elle désigne les tendances innées de l'individu. J. Chouillet rappelle l'importance de l'article que lui consacre le *Dictionnaire universel de médecine, de chirurgie, de chimie, de botanique, etc.* (traduit par Diderot, Eidous et Toussaint, Paris, 1747).

Page 133.

1. *Molécule* est donné par l'*Encyclopédie* comme un terme de médecine et de physique. Sa définition reste peu précise : «Petite masse ou petite portion de corps». «L'air s'insinuant par la respiration dans les veines et dans les artères emploie sa force élastique à diviser et à rompre les molécules du sang qui de leur côté résistent à cette division» (t. X, p. 628). Buffon a fondé sa théorie de la vie sur les molécules organiques. Un personnage de Sade parlera des «molécules malfaisantes» qui survivent à l'individu (*Histoire de Juliette*, *Œuvres*, Bibl. de la Pléiade, t. III, p. 535).

2. Un journaliste rendant compte du texte de de Saur en 1821 s'est justement étonné de l'apparition de ce garçon : «De quoi vit cet enfant ? Où loge-t-il ? Couche-t-il dans les fiacres et dans les écuries avec son père ? Passe-t-il les nuits aux Champs-Élysées et sur les boulevards ?» (Merville, *L'Abeille*, nᵒ 8, 1822, cité par Y. Sumi, *Le Neveu de Rameau*, p. 69-70).

3. Après s'être réclamé des circonstances, en disciple d'Helvétius, Lui défend désormais «la thèse typiquement diderotienne du déterminisme biologique», remarque Pierre Hartmann qui voit ici la poursuite de la *Réfutation d'Helvétius* (*Diderot. La Figuration du philosophe*, Corti, 2003, p. 312).

Page 134.

a. *Longue omission dans V, depuis* Moi qui vous parle (25 lignes plus bas) *jusqu'à la fin de la réplique suivante de* Moi : que vous ayez en vue.

1. Diderot et le maître de musique qu'il embauche pour sa fille, Bemetzrieder, comme l'indique le compte rendu des *Leçons de clavecin et principes d'harmonie* par M. Bemetzrieder dans la *Correspondance littéraire* en septembre 1771.

2. Pufendorf et Grotius : deux philosophes du droit naturel au XVIIᵉ siècle.

Page 135.

1. Le *fourreau* est une robe d'enfant et le *toquet* un «bonnet d'enfant, et surtout de petite fille ou de servante» (*Trévoux*).

2. De Saur explicite : «Mais s'il arrivait qu'un jour, épris comme vous de ce métal divin, il profitât trop de vos leçons, et

que dans une occasion favorable…» Toute une littérature édi-
fiante de l'époque montre ainsi les conséquences fatales des
doctrines matérialistes. Sade joue également de ce thème.

Page 137.

1. Institution: éducation.

2. Même image dans les *Leçons de clavecin*: «C'est la peine
qui rend le plaisir piquant; c'est l'ombre qui fait valoir la
lumière; c'est à la fatigue que la jouissance doit sa douceur;
c'est le jour nébuleux qui embellit le jour serein; c'est le vice
qui sert de fard à la vertu; c'est la laideur qui relève l'éclat de
la beauté; c'est dans le clair-obscur que consiste la magie de la
peinture» (D.P.V., XIX, 196). C. Jacot-Grapa note qu'on trouve
déjà l'adjectif *piquant* et la métaphore culinaire dans l'*Essai
sur le goût* (1741) du P. André, le terme de «dissonance» et la
même métaphore dans les *Essais de théodicée* (1710) de Leibniz: «Un peu d'acide, d'âcre ou d'amer plaît souvent mieux
que du sucre; les ombres rehaussent les couleurs et même une
dissonance placée où il faut donne du relief à l'harmonie»
(*L'Homme dissonant au XVIIIᵉ siècle*, p. 138-139).

Page 138.

1. Étamine: tissu peu serré.

Page 139.

1. Il s'agit plus d'un souvenir de Hobbes que d'une annonce
de Freud. «Sa définition du méchant me paraît sublime. Le
méchant de Hobbes est un enfant robuste: *malus est puer
robustus*. En effet, la méchanceté est d'autant plus grande que
la raison est faible, et que les passions sont fortes. Supposez
qu'un enfant eût à six semaines l'imbécillité de jugement de
son âge, et les passions et la force d'un homme de quarante
ans, il est certain qu'il frappera son père, qu'il violera sa mère,
qu'il étranglera sa nourrice, et qu'il n'y aura nulle sécurité
pour tout ce qui l'approchera. Donc la définition de Hobbes
est fausse, ou l'homme devient bon à mesure qu'il s'instruit»
(*Encyclopédie*, article «Hobbisme, ou Philosophie de Hobbes»,
D.P.V., VII, 407). — Jules Janin exploite cette indication pour
composer *La Fin d'un monde et du Neveu de Rameau* en 1861.

2. Leonardo Leo (1694-1744) et Leonardo Vinci (1696-1730) sont des compositeurs napolitains.

Page 140.

1. Légitime : part inaliénable des enfants dans l'héritage.

2. Pagode : voir déjà p. 90 et n. 5. Le terme désigne, par glissement de sens, un temple oriental, puis un bibelot de porcelaine, enfin un objet incongru.

3. Cette candidature de l'abbé Leblanc est rapportée dans son journal par Collé. Sur «le gros abbé Leblanc», voir p. 101 et n. 1.

Page 141.

1. Tout comme la *Satire première*, les mimiques du Neveu s'inscrivent dans la lignée des traités sur la représentation des passions, de l'essai de Marin Cureau de La Chambre, *Les Caractères des passions* (1640-1662) à la conférence académique de Charles Le Brun sur l'expression des passions (1668) et aux traités de physiognomonie, en passant par *Les Passions de l'âme* (1650) de Descartes. Voir François Delaporte, *Anatomie des passions*, PUF, 2003.

2. C'est désormais Moi qui joue le rôle de révélateur, initialement dévolu à Lui, à moins que ce ne soit Lui qui soit son propre accoucheur. Par cette référence à la maïeutique socratique, Diderot inscrit son texte dans la tradition du dialogue platonicien. Voir préface, p. 28. «Même si la métaphore physiologique a ici remplacé la métaphore chimique de la fermentation, c'est le même type d'effet qui est décrit : dans les deux cas la présence transformatrice du fou a permis que s'extériorisât la vérité de celui sur qui son action s'est exercée» (J.-M. Moureaux, «Le rôle du fou dans *Le Neveu de Rameau*», *Le Siècle de Voltaire. Hommage à René Pomeau*, éd. par Christiane Mervaud et Sylvain Menant, Oxford, Voltaire Foundation, 1987, p. 688).

3. Selon G. Monval, il s'agit de Mme Bontour dans *La Soirée des boulevards* de Favart (1758). Diderot y assiste à la fin de l'été 1760 (voir *Correspondance*, t. IV, p. 168). Une marmotte est une Savoyarde, montée dans la capitale avec sa marmotte.

Page 142.

1. *Le Fils d'Arlequin perdu et retrouvé*, comédie adaptée de Goldoni (1761).

2. Le nom renvoie à l'image du développement végétal et familial. «*Rameau* se dit dans les généalogies de diverses branches qui sortent d'un même tronc» (*Encyclopédie*, t. XIII, p. 783). Le jeu de mots est explicite deux phrases plus loin : «La vieille souche se ramifie.» Le Neveu lui-même joue systématiquement sur le signifiant de son nom. L'épigraphe de *La Raméide* est : «*Inter Ramos lilia fulgent*» («Entre les rameaux brillent les lis»), le poème est présenté comme publié à Pétersbourg, «aux Rameaux couronnés» et, daté «du Dimanche des Rameaux» (cité dans André Magnan, *Rameau le neveu*, p. 123 et 142). L'image est au cœur du débat entre société de la naissance et société du talent. Voir préface, p. 25-26.

Page 143.

a. *Tous les manuscrits donnent* canne. *Nous modernisons l'orthographe.*

1. L'expression désigne une chose qu'on croit aisée, «quoi-qu'elle soit fort difficile» (Leroux, *Dictionnaire comique*, 1750).

2. «On dit proverbialement : il n'y a que le bec à ourler, et c'est une cane, pour se moquer de ceux qui croient que les affaires se font facilement» (*Furetière*). Ne comprenant pas le proverbe, Goethe et de Saur ont pris *cane* au sens de *canne* : «Apporte le bambou, fais-en une flûte» (voir variante *a*).

3. «Pline et beaucoup d'historiens ont parlé de la statue artificielle de Memnon, qui retentissait tous les matins au lever du soleil, et dont les débris, à ce que disent quelques auteurs, rendaient au lever du soleil un son semblable à celui des cordes d'un instrument lorsqu'elles viennent à se casser» (article «Statues des Grecs et des Romains», *Encyclopédie*, t. XV, p. 999). — J. Chouillet souligne l'analogie entre la musique et le murmure flatteur de la postérité («Être Voltaire ou rien : réflexions sur le voltairianisme de Diderot», *Studies on Voltaire*, 185, 1980), il rapproche ce passage du *Neveu* de la lettre à Falconet où Diderot compare le jugement élogieux de la postérité à «un concert de flûtes qui s'exécute de loin» pendant la nuit (4 décembre 1765, *Correspondance*, t. V, p. 208).

4. Le compositeur Rinaldo da Capoua (v. 1710-1780) fit carrière à Vienne. Domenico Alberti (1710-1740) et Giuseppe Tartini (1692-1770) sont des virtuoses (le premier au clavecin, le second au violon) et des compositeurs. — Sur Hasse et Terradoglias, voir p. 129, n. 5. — Sur Pergolèse, voir p. 123, n. 1. — Sur Locatelli, voir p. 69, n. 1. — Sur Douni, voir p. 120, n. 1.

Page 144.

1. L'expression proverbiale est «au diable Vauvert».

2. L'histoire est rapportée par Diderot dans son *Voyage de Hollande* (rédigé en 1774), mais elle se passe à La Haye et concerne un Hollandais, nommé Vanderveld. Juste ensuite, Diderot parle du «juif Pinto» qui a «passé deux ou trois fois par les pattes du bailli» (D.P.V., t. XXIV, p. 104). L'amalgame des deux personnages permet un parallèle avec l'anecdote du renégat d'Avignon (p. 115 *sq.*). Les deux histoires qui présentent un juif, victime innocente, puis un second, profiteur débauché, prouvent que Diderot échappe à tout stéréotype d'une nature juive : voir Leon Schwartz, *Diderot and the Jews*, Londres-Toronto, Associated University Press, 1981.

3. Grison : un valet «qu'on fait habiller de gris pour l'employer à des commissions secrètes» (*Académie*, 1762). Plus brutalement, Goethe traduit par «*Ein Kuppler*» et de Saur par «un maquereau».

Page 145.

1. «Vanderveld a été condamné à payer, et ils ont été tous deux amendés et infamés» (D.P.V., t. XXIV, p. 104).

2. *Lopin* est, selon *Trévoux*, un «terme populaire qui signifie morceau de chair, ou de pain, de quelque chose à manger».

Page 146.

a. couvreurs *(L et V)*

1. Scier le boyau : image du violoniste dont le jeu est réduit à un mouvement purement physique.

2. De Saur développe : «Alors il but encore un coup qui restait dans la bouteille à bière, dévora tous les échaudés et biscuits qu'on avait mis devant nous sur la table.»

3. Prise de tabac. Les tabatières qu'on appelle alors des boîtes deviennent au XVIIIe siècle des objets de luxe qui, au même titre que les montres, suscitent l'inventivité des artisans.

4. Au-delà du boulevard, la butte Montmartre reste la campagne avec ses moulins. N'en demeurent plus aujourd'hui que le Moulin Rouge et le Moulin de la Galette. — Le *cliquet* est une «pièce du moulin à grain : elle tient à la trémie, d'où elle fait descendre peu à peu le grain sur les meules» (*Encyclopédie*, t. III, p. 537).

5. Au Philosophe qui invoque une nature, substitut de la Providence, Lui répond par ses bévues, à la façon dont Diderot opposait les monstres à tout ordre finaliste dans la *Lettre sur les aveugles*.

6. Montaigne parle de «l'épicycle de Mercure» ou des «épicycles imaginaires» (*Les Essais*, II, 27 et I, 26) pour désigner une position de maîtrise illusoire, comme Moi le précise une page plus loin.

7. Classement proposé par Réaumur (1683-1757) dans les *Mémoires pour servir à l'histoire des insectes* (1734-1742).

8. Le *coureur* est le domestique qui court devant la voiture.

Page 147.

1. L'*Encyclopédie* consacre un article médical aux «Postures du corps» : «Il y a certaines postures ou attitudes du corps qui sont mauvaises en elles-mêmes, c'est-à-dire contre la nature, et qui ayant été négligées, ont seules causé au corps humain des incommodités, des infirmités, et même des maladies considérables» (t. XIII, p. 174).

2. Jean-Georges Noverre (1727-1810), maître de ballet à l'Opéra-Comique et auteur des *Lettres sur la danse et sur les ballets* (1760).

Page 148.

1. Cette agilité rappelle les dons d'un grand comédien, tel que David Garrick (1717-1779) : «Dans l'intervalle de quatre à cinq secondes, son visage passe successivement de la joie folle à la joie modérée, de cette joie à la tranquillité, de la tranquillité à la surprise, de la surprise à l'étonnement, de l'étonnement à la tristesse, de la tristesse à l'abattement, de l'abattement à

l'effroi, de l'effroi à l'horreur, de l'horreur au désespoir, et remonte de ce dernier degré à celui d'où il était descendu» (*Paradoxe sur le comédien*, Folio, p. 62). Mais les rôles joués par Rameau, «à la différence des passions exprimées par Garrick, ne s'insèrent pas dans une progression continue» (Marian Hobson, «Pantomime, spasme et parataxe dans *Le Neveu de Rameau*», *Revue de métaphysique et de morale*, avril-juin 1984, p. 193-194).

2. L'abbé Ferdinando Galiani (1728-1787) fréquenta Diderot et ses amis durant son séjour parisien comme envoyé du roi de Naples. Après son retour, il entretint une correspondance suivie avec Mme d'Épinay. En octobre 1760, Diderot vante à Sophie Volland ses qualités de conteur (voir préface, p. 23-24). F. Marchal propose de voir en lui la source principale du personnage de Diderot: «Galiani, un modèle du Neveu de Rameau», *Revue d'histoire littéraire de la France*, septembre-octobre 1999. Diderot écrivit une *Apologie de l'abbé Galiani* (à la suite d'une polémique sur les *Dialogues sur le commerce des blés* de Galiani que Diderot fit publier en 1769).

3. Le moine de Rabelais apparaissait au début du texte (p. 51). Rabelais était alors en liaison avec Arlequin, il l'est désormais avec Pantalon. Les effets de clôture se multiplient durant les dernières pages (p. 149, n. 3; p. 150, n. 1; p. 151, n. 1 et p. 152, n. 1).

4. Au début du dialogue, il s'agissait de «démasquer des coquins» (p. 47) selon la logique traditionnelle des moralistes qui révèlent la vérité des caractères. Bouret en ce sens prend le masque du Garde des sceaux (p. 94-95) et le vice se montre à masque levé (p. 102). Il s'agit désormais de poser des masques sur les visages comme modèles et révélateurs: on est passé d'une psychologie essentialiste à une analyse des comportements sociaux.

5. Après un personnage de la *commedia dell'arte* et une figure de la mythologie classique, les trois autres références sont animales. La tradition d'analyse des passions associe les types humains aux races animales. Charles Le Brun a dessiné en parallèle faces humaines et têtes d'animaux, voir n. 1, p. 141.

Page 149.

1. Dépositaire de la feuille des bénéfices : représentant du roi qui attribue les revenus de l'Église.

2. Il s'agit respectivement de l'abbé Gabriel Gauchat (1709-1774), polémiste antiphilosophique, auteur des *Lettres critiques, ou Analyse et réfutation des divers écrits modernes contre la religion* (1755-1763), et de Louis-Sextus de Jarente de La Bruyère (1706-1788), évêque de Digne, puis d'Orléans, puissant directeur de la feuille des bénéfices et scandaleux amant de la Guimard. Voir Louis d'Illiers, *Deux prélats d'Ancien Régime. Les Jarente*, Monaco, Éd. du Rocher, 1948.

3. Au début du dialogue, c'est Lui qui se référait à Diogène (p. 50) ; à la fin, c'est Moi. Pour le premier, l'Athénien est un maître d'effronterie ; pour le second, c'est un modèle de liberté et d'indépendance. Dans le *Salon de 1767*, à propos de son portrait par Mme Therbouche, et dans les *Regrets sur ma vieille robe de chambre* (1769), Diderot se présente comme un disciple de Diogène. Nombreux sont les contemporains qui réclament un Diogène pour leur siècle, c'est le cas de d'Alembert qui inspire à Le Guay de Prémontval *Le Diogène de d'Alembert* (1755), celui de L. Castilhon qui publie *Le Diogène moderne, ou le Désapprobateur* (1770) ou encore de Wieland dans *Socrate en délire, ou Dialogues de Diogène de Synope*, traduit en français en 1772. Mercier regrette à son tour : « Diogène ne serait pas toléré aujourd'hui : un cynique aurait beau avoir du génie, s'il traînait de vieux haillons, s'il n'avait pour meuble qu'une écuelle de bois, si, la lanterne à la main, il cherchait un homme en plein midi, s'il disait à un grand avec fierté : retire-toi de devant mon soleil, la police qui n'est pas Alexandre, crierait haro sur sa sagesse [...], cela attriste l'homme qui aimerait rencontrer des caractères originaux » (*Tableau de Paris*, éd. cit., t. II, p. 852). La référence à Diogène cache souvent Rousseau : voir J. Starobinski, « Diogène dans *Le Neveu de Rameau* », *Stanford French Review*, VIII, 1984, et H. Coulet, « J.-Fr. Rameau et Diogène », dans Diderot, *Œuvres complètes*, D.P.V., t. XII, 59-60.

Page 150.

1. Vertu : le mot est à prendre dans son sens ancien de force

et d'efficacité. On se souvient de «la vertu horrifique» du froc du moine de Castres qui met en rut tous les manants et habitants du lieu, «bêtes et gens, hommes et femmes» (Rabelais, *Le Tiers livre*, chap. xxvII). — Nouvel effet de clôture : le texte s'ouvre avec les trappistes et les bernardins (p. 46) et se ferme sur ces carmes et cordeliers dont la réputation érotique est bien établie dans la littérature du temps. C'est un capucin (le frère Alexis «de l'ordre séraphique de saint François») qui est le meilleur amant de Margot la ravaudeuse dans le roman (1750) de Fougeret de Monbron (voir préface p. 23). C'est chez les carmes que la Juliette de Sade choisit de faire ses Pâques (*Œuvres*, Bibl. de la Pléiade, t. III, p. 584 et n. 1, p. 614-619). Fougeret de Monbron (1706-1760) choisit une vie d'aventure et la fréquentation des bas-fonds plutôt qu'une vie conforme à son rang. Il arpente l'Europe sur les traces de Casanova et quand on le retrouve en France, c'est à deux reprises en prison. Il est également l'auteur de *La Henriade travestie en vers burlesques*.

2. En fait Diogène Laerce représente Diogène le cynique se masturbant en public (VI, 69), Montaigne évoque la scène dans *Les Essais* (II, 12). Contre les obsessions moralisantes de son temps, Diderot dédramatise la masturbation qu'il préfère à une chasteté forcée, ainsi que Bordeu l'explique à Mlle de Lespinasse dans le troisième dialogue du *Rêve de d'Alembert*. Sur la croisade lancée par le docteur Tissot contre l'onanisme, voir Jean Stengers et Anne Van Neck, *Histoire d'une grande peur, la masturbation*, Éd. de l'Université de Bruxelles, 1984, et Thomas Laqueur, *Le Sexe en solitaire. Contribution à l'histoire culturelle de la sexualité*, Gallimard, 2005.

Page 151.

1. À l'ouverture du dialogue, c'était l'oncle qui était «un philosophe dans son espèce» (p. 50). «Le portrait qui suit est totalement opposé à celui que J.-Fr. Rameau esquisse de sa femme dans *La Raméide*, mais parfaitement conforme à ce qu'on peut attendre de J.-Fr. Rameau tel que Diderot l'a imaginé» (H. Coulet). Mercier insiste aussi sur la vertu de Mme Rameau, louée par son époux (*Tableau de Paris*, cité dans André Magnan, *Rameau le neveu*, p. 226).

2. «Pour la flexibilité, c'était un gosier de rossignol dans le haut, un gosier de caille amoureuse, ou appelant ses petits, dans le bas» (de Saur).

3. *La Raméide* confirme: «Et la mère et l'enfant, ils sont morts tous les deux: / J'en ai porté le deuil, on vit couler mes larmes» (chant V, dans André Magnan, *Rameau le neveu*, p. 140).

Page 152.

1. Le dialogue qui commençait sur les pas des courtisanes au Palais-Royal s'achève en suivant Mme Rameau «aux Tuileries, au Palais-Royal, aux Boulevards». La «tête au vent» reprend «l'air éventé» de l'ouverture (p. 45 et n. 4). Le travestissement en femme est le clou du spectacle du Neveu.

2. Le pet-en-l'air est «un haut de robe dont la longueur ne descend devant et derrière qu'à un pied plus ou moins au-dessous de la taille» (abbé Jaubert, *Dictionnaire raisonné universel des arts et métiers*, Paris, 1773, t. I, p. 572).

3. Rabat, calotte: tenue d'abbé. «J'ai la tonsure enfin, j'en aime encor l'état» (*La Raméide*).

Page 153.

a. Les copistes de L et V ont interprété: Adieu. Mr le philosophe, n'est-il pas.

b. le dernier. en juillet 1761, FIN *corrigé en* juillet 1762 (*V1*).

1. Antoine Dauvergne (1713-1797): violoniste, maître de la Chambre du roi, directeur du Concert spirituel de 1762 à 1771, il fut par trois fois directeur de l'Opéra de 1769 à 1790. Son nom, grâce aux *Troqueurs* et à *La Coquette trompée* (1753), reste attaché aux débuts de l'opéra-comique français. L'opéra auquel il est fait allusion ici est *Hercule mourant* (1761).

2. Dans le *Salon de 1767*, Diderot dit d'une toile de Doyen, *Le Miracle des ardents*: «On prétend que c'est une imitation de Mignard. Qu'est-ce que cela me fait? *Quisque suos patimur manes*, dit Rameau le fou» (*Salons*, III, p. 262); voir préface p. 12. Nous expions chacun nos mânes, c'est-à-dire notre faute originelle. La citation est empruntée à l'*Énéide*, VI, 743.

3. Cloche qui sonne une demi-heure avant le lever du

rideau. Ami de Diderot et de d'Alembert, l'abbé Étienne de Canaye (1694-1782) ne manquait pas une représentation.

LUI ET MOI

Page 178.

1. L'*Encyclopédie* consacre un long article à cet insecte, fourmi-lion ou *formica-leo*, «insecte qui a beaucoup de rapports au cloporte pour la figure du corps, et à l'araignée non seulement par la figure, mais encore par l'instinct, par sa manière de filer, et par la mollesse du corps». «Le fourmi-lion ne vit que d'insectes; il ne marche qu'en reculant et par petites secousses, ainsi il ne peut pas aller chercher sa proie; il est obligé de l'attendre, et de dresser des embûches pour l'attirer à soi: c'est pourquoi il se place dans un sable fin et sec, contre un mur, à l'abri de la pluie; il creuse une petite fosse ronde et concave» (t. VII, p. 231). Une colonne de l'article décrit la technique de l'animal. L'anecdote rapportée par Mme de Vandeul fournit la même description du *formica-leo*: «petit insecte très industrieux» (*Mémoires de Mme de Vandeul* D.P.V., t. I p. 27).

2. Rue Maçon: ancienne rue du Quartier latin, entre la rue de la Boucherie et la rue Saint-André-des-Arts.

Page 179.

1. Le terme de *sangsue* désignait fréquemment les fermiers généraux, les agents du fisc et plus généralement tous les profiteurs de l'Ancien Régime. «Des sangsues insatiables se gorgeaient du sang du peuple» (Dulaurens, *Le Compère Mathieu* [1766], 1788, t. III, p. 113).

2. *Les Zélindiens* (1762), de Marianne Agnès Falque, dite Mlle Fauques, est une satire des Parisiens qui ne semble pas directement antiphilosophique, pas plus que *Ranné et Mascaves* (1750), conte qui se déroule aussi chez les Zélindiens, qui est attribué à Chicaneau de Neuvillé et est suivi par *Le Moyen d'être heureux, ou le Temple de Cythère*, attribué à l'avocat Rivière, personnage qui, selon certaines versions de l'anecdote citées p. 176, est l'interlocuteur de Moi. Henri Coulet a

signalé ces rapprochements qui restent à éclaircir (D.P.V., t. XII, p. 63-64).

3. Hérissant est le libraire parisien qui diffusait une des machines de guerre contre les philosophes, les *Préjugés légitimes contre l'Encyclopédie et essai de réfutation de ce dictionnaire* (1758-1759) d'Abraham Chaumeix.

4. La formule «rare corps» apparaît pour caractériser un comédien dans le *Neveu* (p. 76). Elle insiste sur l'étrangeté. Lui préfère dire de Moi et des êtres moraux qu'ils sont «bien singuliers» (p. 82).

5. Les gens sans caractère: l'expression peut être positive quand elle désigne le grand comédien qui reste à distance et s'adapte aux situations, ou bien négative quand elle désigne un individu sans principes. Voir préface p. 9.

Page 180.

1. Voir le même mouvement d'horreur dans *Le Neveu de Rameau*, p. 118.

2. Charles Georges Le Roy (1723-1789), lieutenant des chasses du parc de Versailles, est un ami des philosophes. Il a composé plusieurs articles de l'*Encyclopédie*, en particulier dans son domaine de compétence naturaliste et cynégétique, ainsi que des *Lettres sur les animaux* (Nuremberg, 1768; nouvelle éd., 1781). Voir l'édition critique procurée par Élizabeth Anderson qui ne semble pas se référer à la présente anecdote. Dans ces *Lettres*, Le Roy ne s'intéresse pas aux insectes, trop loin de nous «pour qu'on sache précisément quel degré d'intelligence ils mettent dans leurs ouvrages» (*Lettres sur les animaux*; S.V.E.C., 316, 1994, p. 77).

Composition Interligne.
Impression Société Nouvelle Firmin-Didot
à Mesnil-sur-l'Estrée, le 15 janvier 2008.
Dépôt légal : janvier 2008.
1ᵉʳ dépôt légal dans la collection : novembre 2006.
Numéro d'imprimeur : 88560.

ISBN 978-2-07-031747-9/Imprimé en France.

157538